Oz Clarke

L'ABC DU VIN

Traduit de l'anglais
par Dominique Chauveau

Guy Saint-Jean
ÉDITEUR

Éditeur: Bill Evans
Directrice artistique: Emma Ashby
Adjointe à la rédaction: Margaret Rand
Photographie: Cephas Picture Library, Robert Hall
Photographies de l'auteur: Stephen Bartholomew
Photographies des bouteilles: Stephen Marwood
Directrice de la rédaction: Claire Harcup
Indexatrice: Marie Lorimer
Production: Karen Connell
Traduction: Dominique Chauveau
Révision française: Andrée Laprise
Infographie de cette édition: Christiane Séguin

Les données de catalogage avant publication sont disponibles
à la Bibliothèque nationale du Québec.

Nous reconnaissons l'aide financière du gouvernement du Canada par l'en-
tremise du Programme d'Aide au Développement de l'Industrie de l'Édition (PADIÉ) ainsi que celle de la SODEC pour nos activités d'édition.

© Websters International Publishers 2000
Texte © Oz Clarke
Cartes © Websters International Publishers 2000
Publié originalement par Websters International Publishers Limited,
Second Floor, Axe and Bottle Court, 70 Newcomen Street,
Londres SE1 1YT. (www.websters.co.uk ou www.ozclarke.com)
© pour cette édition en langue française Guy Saint-Jean Éditeur Inc. 2000

Dépôt légal 3e trimestre 2000
Bibliothèques nationales du Québec et du Canada
ISBN 2-89455-095-2

DISTRIBUTION ET DIFFUSION
AMÉRIQUE: Prologue
FRANCE: E.D.I./Sodis
BELGIQUE: Vander S.A.
SUISSE: Transat S.A.

Guy Saint-Jean Éditeur Inc.,
3172, boul. Industriel, Laval (Québec) Canada H7L 4P7. (450) 663-1777.

Guy Saint-Jean Éditeur France,
48 rue des Ponts, 78290 Croissy, France.

Imprimé et relié à Singapour

Remerciements
Merci à Vinopolis, City of Wine et Michael Johnson Ceramics
pour nous avoir prêté les verres à vin et autres objets pour la
des photos; au marchand de vin Roberson à Londres, pour la
photographie de leur boutique à la page 66; à Spiral Cellars
pour la photo de la page 67; et à Zaika, à Londres, pour la
photo du restaurant de la page 59. Merci également à Fiona
Holman, Nigel O'Gorman et Andrew Thompson pour leur
contribution à la préparation de ce livre.

Table des matières

La prochaine fois que vous achèterez du vin, prenez le temps de vous arrêter un moment et de regarder autour de vous. Ne vous précipitez pas sur les offres spéciales, ne vous limitez pas aux vins que vous buvez habituellement et ouvrez grand les yeux sur tout ce que l'on vous offre. S'il s'agit d'une grande succursale, peut-être serez-vous, comme moi, ébahi, et aurez-vous la tête qui tourne devant une telle abondance. Imaginez un peu qu'une saveur unique est enfermée dans chacune des bouteilles! Soyez donc ouvert à tout, choisissez un vin qui vous intéresse, n'importe lequel, et promettez-vous de joyeuses découvertes!

Cela vaut-il la peine de faire l'effort de connaître la différence entre toutes ces bouteilles? Évidemment! En acquérant un minimum de connaissances, vous augmenterez le plaisir que vous aurez en dégustant un verre de vin et serez capable de choisir de meilleures bouteilles, et en approfondissant ces connaissances, imaginez tout le plaisir qui peut en découler! J'ai donc écrit ce livre dans l'intention de vous aider à découvir le monde des vins et à apprécier de nouvelles saveurs intéressantes. Alors, sans tarder, plongez dans l'univers fascinant des vins.

Partie I

Les saveurs des vins

Achetez du vin pour les saveurs qu'il recèle! La réputation d'un vin, la bouteille et son prix ont tous tendance à influer sur votre choix, mais ils ne peuvent chatouiller vos papilles gustatives. Si le cépage utilisé est le facteur le plus important pour déterminer le goût d'un vin, tout ce qui est arrivé au raisin, et à son jus, au cours du long voyage qui l'a mené de la vigne à votre verre contribue à lui conférer sa spécificité. Lisez ce livre et commencez à rechercher dans un vin les saveurs que vous convoitez vraiment.

Trouver les saveurs désirées

AUJOURD'HUI, plus qu'auparavant, vous avez plus de possibilités d'acheter un vin que vous aurez grand plaisir à déguster, quel qu'en soit le coût. Vers la fin du XXe siècle, on a assisté à une véritable révolution dans le domaine des vins, en ce qui concerne le style et la qualité.

Tous les vins sont plus nets et d'un goût plus frais qu'avant; les rouges sont plus gouleyants, plus ronds et plus souples; les blancs ont des arômes de fruits tropicaux et de pêche mûre. On utilise un plus grand nombre de barriques de chêne neuf, ce qui, sur le plan des saveurs, est synonyme de vanille, de beurre et de pain grillé. Il n'y a jamais eu un si grand choix de vins aux arômes différents, les techniques modernes de vinification permettant d'éviter certaines erreurs, sans pour autant sacrifier la spécificité des vins.

La question est de choisir. Comment savoir si tel vin est exactement ce qu'il faut pour accompagner un repas d'été dans le jardin, ou si tel autre convient mieux à une soirée d'hiver devant un feu de foyer? Quel plaisir de savoir choisir entre un vin blanc vif et fringant, ou un rouge épicé et capiteux!

Ces milliers de saveurs différentes peuvent être classées parmi les 15 principaux styles de vin expliqués ci-contre et détaillés dans les pages qui suivent. Même si vous ne connaissez encore rien au sujet des cépages et des régions vinicoles, vous pourrez choisir un style de vin qui vous plaît et vous serez satisfait. Revenez consulter ces pages chaque fois que vous aurez envie d'expérimenter de nouvelles saveurs. Je ferai de mon mieux pour vous guider dans cette nouvelle aventure.

1. Gouleyants, fruités

Vins rafraîchissants, d'emblée charmeurs et délicieux. Le Merlot du Chili offre tout ce que l'on peut attendre d'un vin rouge moderne.

2. Soyeux, à saveur de fraise

Vins au caractère fondu et aromatique, parfumés aux saveurs de fruits rouges. Le Pinot noir est un de ces vins classiques.

3. Intenses, au goût de cassis

Vins rouges à la saveur distincte de cassis, par exemple le Cabernet-Sauvignon.

6. Rosés délicats

Vins parfumés, rafraîchissant et secs; les bons vins de cett sorte proviennent de Proven et de Navarre.

4. Épicés, généreux

Des saveurs glorieusement riches de baies, de poivre noir et de chocolat. Essayez le Shiraz d'Australie.

8. Vifs, fringants

Vins vifs, avec des arômes évoquant la groseille à maquereau. En tête de liste: le Sauvignon blanc de Nouvelle-Zélande .

11. Aromatiques

Vins parfumés, avec des saveurs exotiques et florales. Aucun ne bat le Gewürztraminer.

5. Alléchants, acidulés

Vins fascinants, tanniques et herbacés, avec des saveurs aigres-douces de fruits rouges. Les vins rouges italiens sont parmi les meilleurs.

9. Intenses, au goût de noisette

Vins riches et succulents, subtils et puissants. Le Bourgogne blanc vous donne le style.

13. Doux et dorés

Vins succulents, glycérinés, avec d'intenses saveurs de pêche, d'abricot et de miel, comme le Sauternes.

12. Champagnes et vins mousseux

Des bulles pour rendre heureux, accompagnées de délicieux arômes. Souriez, vous buvez du Champagne!

14. Liquoreux et chaleureux

Vins doux et fortifiés, avec de riches arômes: rien ne bat le Porto.

7. Très secs, neutres

Vins nerveux et rafraîchissants, comme le Muscadet ou le Verdicchio.

10. Mûrs, à saveur de grillé

Des arômes francs de pêche, d'abricot et de fruits tropicaux, avec des notes de pain grillé: la saveur du Chardonnay d'Australie.

15. Liquoreux et fougueux

Vins très secs, avec des saveurs percutantes austères, acidulées et noisettées: on parle d'un véritable Xérès.

1. Vins rouges gouleyants, fruités

Ces vins rouges, débordant de saveurs de fruits, goûteux et rafraîchissants, se boivent aussi bien avant un repas que pendant ou après. Un style résolument moderne pour les meilleurs vins rouges bon marché, et autres vins d'une qualité supérieure qui restent abordables. Leurs accents de fruits prononcés amoindrissent la sensation de resserrement des gencives, ou goût astringent, que provoquent les tanins.

Ce style de vin a vu le jour au Nouveau Monde, et les vins proviennent d'Australie, de Californie, de l'État de Washington, de Nouvelle-Zélande, d'Amérique du Sud et d'Afrique du Sud. Ils se sont aussi répandus à travers l'Europe, détrônant l'idée persistante voulant qu'un vin rouge doit vieillir. Ces vins ne doivent pas vieillir. On les achète, on les boit, et on en achète d'autres. Pour que ces vins exhalent tous leurs arômes juteux et fruités, ils ne doivent pas avoir plus de deux ans d'âge.

À l'échelle mondiale, le Merlot du Chili est le vin de prédilection pour ce type: jeune, bien équilibré et éclatant de saveurs de mûre, de cassis et de prune.

L'Espagne produit beaucoup de ces vins rouges bon marché, tendres et souples. Ceux qui proviennent de La Mancha, de Navarre ou de Valdepeñas valent le coup d'être goûtés. La Californie offre une belle gamme de Merlots et de Zinfandels jeunes, et l'Argentine a un Tempranillo moelleux, un Bonarda ultra fruité et un Malbec juteux.

Du côté français, le Beaujolais est fameux dans cette catégorie, bien qu'il soit un peu plus cher et un peu moins fruité; les vins rouges de Pays d'Oc sont souvent un meilleur choix.

CE QUI FAIT LE VIN

Tous les vins ont certains éléments de base en commun:

L'acidité et le sucre sont présents dans le jus de raisin. Le sucre devient alcool au cours de la fermentation. Lorsqu'il en reste une certaine quantité qui ne s'est pas transformée, il s'agit d'un vin doux. Le terme «acidité» paraît déplaisant et agressif mais, lorsque cette acidité est présente en quantité appropriée, elle rend le vin intense et rafraîchissant. Comme tous les fruits, les vins contiennent un certain taux d'acidité.

Le tanin provient de la pellicule, des rafles et des pépins des raisins. C'est le tanin des vins rouges qui tache les dents et laisse la bouche sèche. En quantité équilibrée, il participe de façon merveilleuse à la saveur et à la texture du vin. Les vins blancs ne possèdent pas une teneur élevée en tanins. Le tanin et l'acidité ont tous deux la propriété d'agir en tant qu'agents de conservation, et les vins riches en tanin et en acidité peuvent vieillir longtemps en bouteille.

L'alcool, la raison pour laquelle la plupart d'entre nous commencent à boire du vin, n'a pas que des vertus euphorisantes. Il équilibre les autres saveurs: il adoucit le mordant de l'acidité et contribue à l'intensité des sensations que produit le vin en bouche.

2. Vins rouges soyeux, à saveur de fraise

Des rouges moelleux, parfumés, avec un parfum et une légère saveur de fraise, de framboise ou de cerise. Les bons vins de cette sorte sont soyeux en bouche.

Le pinot noir est un vieux cépage qui produit les meilleurs vins de ce style. Le grand pinot noir a une texture soyeuse qu'aucun autre raisin ne peut imiter. Seules quelques régions réussissent bien à cultiver ce cépage, et un bon Pinot se vend cher.

Le pinot noir vient de Bourgogne (France) et c'est le lieu où il atteint sa quintessence. Il s'agit du principal cépage participant à l'élaboration des Bourgognes rouges. Les meilleurs, mis à vieillir, développent des arômes de truffes, de gibier et de feuilles d'automne en décomposition. Bien que ces termes évoquent des saveurs surprenantes, une seule gorgée de vin suffit à certains pour en devenir adepte.

En dehors de la Bourgogne, les meilleurs pinots noirs sont cultivés en Californie, notamment dans les régions de Carneros et de Santa Barbara, en Oregon et en Nouvelle-Zélande.

Le Pinot noir bon marché est rarement bon mais, en général, celui du Chili exhale beaucoup de saveurs vibrantes de fruits en gelée. Somontano, en Espagne, produit aussi quelques bons vins à prix abordables.

Les vins rouges de Rioja et de Navarre, en Espagne, résultat du mélange de divers cépages, sont doux avec un arôme de fraise. Ces caractéristiques apparaissent aussi dans les plus légers Côtes du Rhône-Villages de France. Aucun de ces vins, cependant, n'a le soyeux du Pinot noir.

3. Vins rouges intenses, au goût de cassis

Des vins rouges pleins d'arômes, avec des tanins fermes et une saveur distincte de cassis. Ils proviennent du cépage cabernet-sauvignon, vinifié seul ou assemblé avec du merlot ou d'autres cépages. Ces derniers contribuent aux saveurs de fruits du vin et en adoucissent la texture.

Les vins rouges du Bordelais, en France, sont caractéristiques du cépage cabernet-sauvignon. Les vins types ont un goût de cassis, et les meilleurs, un parfum de cigare et de graphite. Les Cabernets du Nouveau Monde ont une saveur plus prononcée de cassis, mais aussi un arôme de vanille et, parfois, de menthe. Il est difficile de dire quel est le meilleur, question qualité. Parmi les moins chers, ceux du Nouveau Monde l'emportent presque toujours. Un Bordeaux rouge de basse catégorie est un vin inintéressant.

Néanmoins, le Cabernet-Sauvignon est l'un des vins les plus fiables. Il conserve ses saveurs caractéristiques, d'où qu'il provienne et quel qu'en soit le prix, ce qui est relativement rare. Les plus chers devraient avoir vieilli, être riches et dégager des couches de saveurs intenses. Les moins chers ont des arômes plus rudimentaires, plus terreux et plus confiturés, ou encore évoquent le poivron vert.

Pour un petit budget, les Cabernets accessibles proviennent de Bulgarie, du Chili, d'Australie, d'Afrique du Sud et de France (les Vins de Pays d'Oc). Pour un peu plus cher, offrez-vous un Penedès d'Espagne, certains Cabernets qui nous viennent d'Australie, du Chili, d'Afrique du Sud, ou encore un Bordeaux, ou son voisin le mieux coté, le Bergerac.

Vous retrouverez aussi ces saveurs de cassis dans le Ribera del Duero d'Espagne, bien que le cépage dont il est issu soit le tempranillo.

La roue des vins rouges

La roue des vins rouges, à la page 13, vous donne une façon de connaître les différentes saveurs et les vins. J'y ai disposé les vins rouges selon leur intensité et leur gamme de saveurs. Plus vous allez vers l'extérieur, plus les vins ont une saveur intense; plus vous allez vers le centre, plus ils sont légers et simples.

Fruits noirs Saveurs de cassis, de mûre, de prune sombre et de cerise noire.

Fruits rouges Saveurs douces de fraise et de framboise; soupçon tranchant de groseille et de cerise rouge.

Herbes et épices Saveurs sauvages d'herbes, d'épices poivrées et aromatiques; arôme de chocolat ou de réglisse.

Intensité croissante

CLÉ

Les styles de vins décrits dans ce chapitre s'intègrent dans la roue de cette façon:

Rouges gouleyants et fruités FRUITS ROUGES OU NOIRS, avec une intensité allant de légère à moyenne.

Rouges soyeux, à saveur de fraise FRUITS ROUGES, bien que les plus intenses aient une touche de FRUITS NOIRS.

Rouges intenses, au goût de cassis FRUITS NOIRS, peut-être avec une touche de FRUITS ROUGES ou d'HERBES ET D'ÉPICES.

Rouges épicés, généreux Arômes d'HERBES ET D'ÉPICES, souvent combinés à des saveurs de FRUITS ROUGES OU NOIRS.

Rouges alléchants, acidulés FRUITS ROUGES, HERBES ET ÉPICES.

FRUITS NOIRS

Cabernet-Sauvignon supérieur de Californie

Cabernet-Sauvignon supérieur d'Australie

Bordeaux supérieurs de St-Émilion et de Pomerol

Cabernet et Merlot supérieurs de l'État de Washington

Ribera del Duero

Pessac-Léognan supérieur

Cabernet-Sauvignon supérieur du Chili et d'Afrique du Sud

Bordeaux supérieur du Médoc

Merlot supérieur du Chili

FRUITS NOIRS ET ROUGES

Malbec supérieur d'Argentine

Douro

Merlot supérieur du Chili, prix moyen

Cabernet-Sauvignon d'Australie, prix moyen

Zinfandel supérieur

Shiraz supérieur d'Australie

Cabernet-Sauvignon de Californie, prix moyen

Merlot de N.-Z.

Vins rouges supérieurs de la Loire (Chinon, Bourgueil, Saumur, Champigny)

Shiraz d'Afrique du Sud

Malbec d'Argentine, prix moyen

Vins rouges du sud du Portugal

Navarre

Cabernet-Sauvignon d'Afrique du Sud, prix moyen

Shiraz léger d'Australie

prix moyen Bordeaux (crus bourgeois)

Cabernet-Sauvignon de Nouvelle-Zélande

Cabernet-Sauvignon (Chinon, Bourgueil, Saumur, Champigny)

FRUITS NOIRS, HERBES ET ÉPICES

Cabernet-Sauvignon de Bulgarie

Vins rouges de Hongrie

Coteaux du Languedoc et Côtes du Roussillon

Cabernet et Merlot du Chili, bon marché

Vins rouges de la Loire (Chinon, Bourgueil, Saumur, Champigny)

Côte-Rôtie

Priorat

Merlot d'Italie du Nord

Vins rouges d'Afrique du Sud, prix moyen

Bourgogne de premier cru et de grand cru

Penedès

Minervois

SIMPLES LÉGERS ET

Valdepeñas et La Mancha

Rioja léger

Hermitage

Vins rouges d'Autriche

ET SIMPLES LÉGERS

Crus Beaujolais

Rioja, réserve supérieure et grande réserve

Syrah et Mourvèdre de Californie

Fitou

Beaujolais simples

Pinot Noir d'Australie

Toro

Cahors

Bordeaux bon marché

Vins légers italiens bon marché

Bourgogne et Côtes du Rhône d'Argentine

Pinot Noir de Nouvelle-Zélande et de Californie

Pinot Noir du Chili et d'Afrique du Sud

Pinot Noir de l'État de N.Y.

Grenache/Shiraz du Mexique

Chianti Classico

Chianti léger

Vins de pays

Tempranillo et Bonarda

Bourgogne de qualité

Zinfandel supérieur

Baïrrada

Valpolicella Classico

Vins de pays Cabernet et Merlot

Costières de Nîmes

Pinotage léger

Pinot Noir de l'Oregon

HERBES ET ÉPICES

Corbières

Dão et Baïrrada

Vins rouges de Provence (ex.: Bandol)

FRUITS ROUGES

Dolcetto

Barbera

Zinfandel, prix moyen

Chianti Classico Riserva et Merlot

Nobile di Montepulciano

Brunello di Montalcino

Corbières

Vins rouges d'Italie du Sud

Côtes du Rhône-Villages

Grenache

Barbaresco

Barolo

Chianti Classico Riserva et Nobile di Montepulciano

Gigondas et Vacqueyras

Vins vieux d'Australie

Châteauneuf-du-Pape

FRUITS ROUGES, HERBES ET ÉPICES

4. Vins rouges épicés, généreux

Denses, chaleureux, glorieusement riches en saveurs de baies, de poivre noir et de chocolat, idéals pour les soirées d'hiver ou les barbecues. La variété de cépage prédominante est la syrah (ou shiraz).

Le Shiraz d'Australie est un vin à goûter. Il est dense, riche et chocolaté, parfois avec une pincée de poivre, un soupçon de fumé ou une touche de cuir. Vous pouvez en obtenir de bonnes bouteilles à tous les prix.

Dans la vallée du Rhône, en France, le même type de cépage est connu, depuis beaucoup plus longtemps, sous le nom de syrah. Les vins élaborés à partir de la syrah du Rhône tendent à avoir un style un peu plus austère et un bouquet fumé minéral, alors que le shiraz d'Australie confère aux vins un nez richement épicé. Ils sont aussi plus chers.

Pour obtenir un bon rapport qualité-prix avec un vin français, faites l'essai d'un Syrah, d'un vin de pays d'Oc, d'un Fitou, d'un Minervois ou d'un Côtes du Rhône-Villages, plus lourd (les plus légers sont plus soyeux, avec un arôme de fraise).

Le Portugal offre des vins présentant un bon rapport qualité-prix, issus de cépages indigènes que l'on ne trouve nulle part ailleurs. D'Espagne, goûtez le Toro, aux saveurs lourdes de prune et de vanille, et le Priorat, d'un coût plus élevé.

Le Zinfandel de Californie, dans son style le plus puissant, est riche et épicé. En Amérique du Sud, la Petite Sirah du Mexique n'est pas issue du cépage syrah, mais ce vin aux saveurs généreuses fleure bon la terre fraîche. Le caractère opulent et épicé des Malbecs chauds d'Argentine et des Carmenères du Chili présentent un excellent rapport qualité-prix. Regardez aussi du côté du Pinotage d'Afrique du Sud.

Terme œnologique | **Maturation en fûts de chêne**

Lorsque le vin fermente ou gagne en maturité dans des fûts de chêne neuf relativement petits, appelés **barriques**, il acquiert avec le temps les bouquets caractéristiques du chêne provenant des douves de bois. Les dégustateurs de vins qualifient ces bouquets d'arômes de pain grillé, avec des saveurs d'épices, de beurre, de caramel et de vanille. Plusieurs des meilleurs vins rouges et blancs du monde fermentent et vieillissent dans des fûts de chêne, mais les cuves en acier inoxydable et en béton sont préférables pour les vins au goût frais et ultra fruité.

5. Vins rouges alléchants, acidulés

Vins rouges fascinants, avec des saveurs de cerise et de prune, et un nez tannique et herbacé. La plupart de ces vins proviennent d'Italie et ont un caractère qui les distingue nettement de tous les autres vins.

Ces vins italiens ont quelque chose d'unique et de fascinant. Ils présentent un nez tannique, une certaine acidité, une certaine rudesse et accompagnent agréablement le bœuf ou le canard; il n'est pas conseillé de les déguster en apéritif. Le même bouquet irrésistible de cerise acidulée se retrouve dans des vins élaborés à partir de différents cépages (le Dolcetto, le Sangiovese, le Barbera) et dans les vins allant du Chianti au Teroldego, rares mais croquants. Certains ont aussi une délicieuse saveur de raisins secs. Un bon Valpolicella, bien que léger et pauvre en tanin, aura cette saveur caractéristique des vins italiens.

Dans le Piémont, dans le nord de l'Italie, les vins rudes et fortement tanniques provenant de Barolo, élaborés à partir de l'austère nebbiolo, exhalent des saveurs fascinantes de goudron et de rose. Un bon Barolo est aujourd'hui très coûteux, mais un Langhe décent vous procurera les mêmes saveurs à un prix moindre. Plus au Sud, toute une panoplie de vins rouges, comme le Copertino ou le Salice Salentino, sont ronds, ont des saveurs allant de la prune à la cerise acide, au caractère mordant. Les rouges de Sicile sont aussi excellents.

En Californie, on cultive beaucoup de sangiovese, mais les vins qui y sont élaborés ont rarement la même élégance que ceux d'Italie. L'Argentine élabore des vins savoureux à partir de plusieurs variétés de cépages italiens.

6. Des rosés délicats

Un bon rosé devrait être parfumé, rafraîchissant et délicieusement sec, non pas douceâtre.

Le vin rosé est un vin adorable. Sec, aux parfums de fraise, peut-être avec un nez végétal, il se boit bien l'été et s'allie à de nombreux plats de légumes. Le meilleur cépage pour élaborer un rosé est le grenache, mais il n'est pas le seul à donner de bons résultats. La Provence, et d'autres régions du sud de la France produisent de bons rosés, ainsi que le Bordelais, toujours en France, la Navarre en Espagne et le Portugal. On peut trouver du rosé un peu partout dans le monde. Le Rosé d'Anjou de la Loire est en général à éviter; le Cabernet d'Anjou est habituellement meilleur et plus sec. Le *Blush* Zinfandel de Californie, relativement doux, est acceptable.

7. Blancs très secs, neutres

Vins blancs d'une acidité marquée, dont les saveurs ne sont pas nécessairement ce qui prime. Bien frais, ils se marient à merveille avec des fruits de mer.

Ces vins peuvent sembler peu séduisants mais, en de nombreuses occasions, les saveurs intenses de boisé et de fruits tropicaux ne sont pas souhaitables.

Le Muscadet de la vallée de la Loire, en France, est le plus neutre de tous. Le Chablis de Bourgogne, non boisé, est élaboré à partir du chardonnay, un cépage classique qui confère au vin un caractère minéral et sec.

Les Italiens, n'appréciant pas particulièrement les vins blancs aromatiques, se spécialisent dans ces vins. Ainsi, les Frascati, la plupart des Soave, les Orvieto, Verdiccio, Lugana, Pinot Grigio, Pinot Bianco et le Chardonnay de l'Alto Adige participent tous de ce style.

Vous ne trouverez pas ces vins dans le Nouveau Monde, les vinificateurs ne souhaitant pas élaborer de vins neutres. Même si quelques-uns d'entre eux cultivent les mêmes types de cépages dans leurs vignobles, les vins qui en découlent sont plus ronds et plus savoureux.

8. Vins vifs et fringants

Vins mordants, pleins d'élan, souvent avec un nez et une saveur de groseille à maquereau. Vous les aimerez ou les détesterez.

Le Sauvignon blanc de Nouvelle-Zélande, en particulier celui qui provient de Marlborough, déborde de saveurs nerveuses et affriolantes. Le Chili élabore des vins similaires, légèrement plus doux; la version d'Afrique du Sud peut avoir plus de mordant et le Rueda d'Espagne, plus de nerf.

Le Sancerre et le Pouilly-Fumé de la vallée de la Loire sont mordants et rafraîchissants, avec des saveurs légères de fruits et une touche minérale, voire un soupçon de fumé. Le Vin de Pays du Jardin, de France, offre les mêmes saveurs à un prix moindre.

Le meilleur achat en Sauvignon blanc est le Bordeaux blanc sec. Il est en général étiqueté sous la dénomination Bordeaux Sauvignon blanc, ou parfois Bordeaux blanc, et ses critères de qualité ont été plus sérieusement réglementés ces dernières années. Il est toujours plus doux que les versions de la Loire ou de Nouvelle-Zélande.

À partir du chenin blanc, la Loire élabore aussi des vins aux saveurs tranchantes, comme le Vouvray et le Savennières. Le Chenin de la Loire a un caractère acide et minéral qui, avec l'âge, s'arrondit et devient miellé.

Quant aux Rieslings, élaborés à partir du cépage du même nom, ils exhalent un arôme de pêche, avec un caractère minéral et fumé, une pointe de pomme verte et une acidité quelque peu exacerbée lorsqu'ils sont jeunes. Après quelques années en bouteille, ces saveurs se combinent et s'adoucissent en un bouquet merveilleux de miel et de pétrole, d'un goût divin. Le moins bon des Rieslings, de la vallée de la Moselle, en Allemagne, laisse souvent percer une note de sucre pour contrebalancer l'acidité. Ceux du Rhin sont un peu plus riches, ceux d'Autriche et d'Alsace, plus secs et les plus corsés. Les Rieslings d'Australie, secs ou doux, mariant les agrumes et le pain grillé, ont une irrésistible saveur.

9. Blancs intenses, au goût de noisette

Vins blancs riches et succulents, avec des saveurs subtiles de noix et de farine d'avoine. Ces vins, qui vieillissent en général en fûts de chêne, sont à la fois gras et tout à fait secs.

Ce style de vins est typique des classiques français; le meilleur exemple en est le Bourgogne blanc élaboré à partir du cépage chardonnay et vieilli en fûts de chêne. C'est grâce à ce vin que le chardonnay a acquis sa réputation. D'excellents crus arrivent parfois à sa hauteur: ils proviennent de Californie, de l'État de New York, de la Nouvelle-Zélande, d'Australie et d'Afrique du Sud. Notons qu'il ne s'agit que de nouvelles versions, et des meilleures. Les producteurs italiens de Toscane sont aussi dans la course.

Le Graves et le Pessac-Léognan du Bordelais, vins de qualité supérieure issus d'un mélange de Sémillon et de Sauvignon blanc et vieillis dans des fûts de chêne, sont crémeux, avec une saveur noisettée et une touche de nectarine. Le Sémillon de la Hunter Valley, en Australie, non boisé, devient riche et glycériné avec l'âge. Le meilleur Rioja d'Espagne devient noisetté et velouté en vieillissant.

N'oubliez pas: ce ne sont pas des vins bon marché. Ils ont besoin de vieillir pour exhaler tout leur caractère. Les Chardonnays d'Espagne, de la Navarre et de Somontano sont bons et beaucoup moins chers.

Terme œnologique | **Vin variétal (vin monocépage); assemblage ou coupage**

Un **vin variétal** est un vin fait à partir d'un seul cépage ou d'un cépage prédominant, et portant le nom de celui-ci. Cette façon simple et moderne d'étiqueter un vin est tout à fait logique, puisque le cépage qui prévaut lui confère la plupart de ses saveurs. Les réglementations d'un pays ou d'une région dictent le pourcentage minimum d'un cépage donné qu'un vin doit contenir pour se voir attribuer le titre de vin variétal. L'**assemblage**/le **coupage** est le mélange de plusieurs vins d'une origine identique/d'origines distinctes, pour obtenir un vin unique, loin d'être de qualité inférieure puisque les divers cépages contrebalancent leurs faiblesses et se complémentarisent.

BOISÉS ET FRUITÉS

BOISÉS

FRUITÉS

AROMATIQUES, BOISÉS

MORDANTS ET FRUITÉS

AROMATIQUES

MORDANTS ET AROMATIQUES

MORDANTS

Graves et Pessac-Léognan

Bourgogne grand cru

Chardonnay supérieur de Californie, d'Australie, de N.-Z., d'Afrique du Sud et d'Italie

Semillon élevé en fût de chêne, d'Australie

Riesling supérieur de N.-Z. et d'Afrique du Sud

Pinot gris d'Alsace

Bons Bourgognes

Chardonnay et Semillon d'Australie

Chardonnay d'Australie, de Californie, de l'État de Washington et du Chili, prix moyen

Rioja vieilli en fûts de chêne

Semillon et Sauvignon d'Australie et de N.-Z.

Chenin blanc, en fûts de chêne, d'Afrique du Sud

Chardonnay des régions froides des É.-U., du Canada et de la N.-Z.

Viognier du sud de la France

Sauvignon blanc de N.-Z. (Île du Nord)

Chardonnay d'Afrique du Sud et du sud de la France, prix moyen

Sauvignon blanc de N.-Z., Île du Sud

Viognier du nord du Rhône (Condrieu et Château-Grillet)

Chardonnay de Hongrie

Verdelho d'Australie

Chenin blanc et Sauvignon Blanc du Chili

Sauvignon blanc d'Afrique du Sud

Sauvignon blanc supérieur de N.-Z.

Viognier d'Australie et de Californie

Bons vins blancs de Marsanne et de Roussanne (vallée du Rhône)

Fumé blanc de Californie

Chardonnay de Bulgarie

Vin de pays

Colombard

Vins simples de pays

Sancerre et Pouilly-Fumé

Entre-Deux-Mers et Bordeaux Blanc

Chardonnay du nord de l'Italie

Vouvray et Saumur

Riesling d'Australie

LÉGERS ET SIMPLES

Trebbiano

Soave

Muscadet

Chenin blanc d'Afrique du Sud, bon marché

Orvieto

Vinho Verde

Verdicchio

Chablis et Bourgogne de base sans saveurs boisées

Pinot gris et Pinot blanc du nord-est de l'Italie

Rueda

Müller-Thurgau

Liebfraumilch

Pinot blanc d'Alsace

Pinot gris de l'Oregon

Grüner Veltliner d'Autriche

Savennières

Riesling de l'État de Washington

Riesling sec d'Allemagne (Rhin)

Chablis premier cru et grand cru, non vieilli en fûts de chêne

Irsai Olivér de Hongrie

Muscat sec d'Italie et du sud de la France

Torrontés d'Argentine

Alto Adige Gewürztraminer

Riesling de l'État de New York

Riesling d'Autriche

Rioja blanc non vieilli en fûts de chêne

Riesling extra-sec d'Allemagne (Moselle)

Gewürztraminer d'Alsace

Muscat sec d'Alsace

Riesling extra-sec d'Allemagne (Rhin)

Rias Baixas

Riesling extra-sec d'Allemagne (Moselle)

Riesling d'Alsace

Gewürztraminer de N.-Z. et du Chili

La roue des vins blancs

On consulte la roue des vins blancs de la même façon que celle des vins rouges (pages 12 et 13). Plus vous allez vers l'extérieur, plus les vins ont une saveur intense; plus vous allez vers le centre, plus ils sont légers et simples.

Fruités Saveurs de pêche, de fruits tropicaux et de miel, sans les arômes de beurre et de boisé.

Mordants Saveurs fraîches, nettes, avec une morsure de citron vert, de groseille à maquereau ou de pomme verte.

Aromatiques Intense parfum floral ou exotique, comme celui du litchi ou des pétales de rose.

Boisés Saveurs de grillé et de beurre qui proviennent d'une maturation en fûts de chêne.

CLÉ

Les styles de vins décrits dans ce chapitre figurent dans la roue de cette façon:

Blancs très secs, neutres Les vins les plus légers de la zone MORDANTS.

Blancs vifs, fringants Vins MORDANTS, avec une ombre du style FRUITÉS et AROMATIQUES.

Blancs intenses, au goût de noisette Maturation en fûts de chêne; les meilleurs de ces vins sont intenses, mais subtils.

Blancs mûrs, à saveur de grillé Vins chargés de saveurs BOISÉES et FRUITÉES.

Aromatiques Vins chargés d'ARÔMES; certains ont aussi une saveur de BOISÉ.

10. Blancs mûrs, à saveur de grillé

Saveurs évidentes de pêche, d'abricot et de fruits tropicaux, relevées par des notes de vanille, de pain grillé et de caramel dues à la maturation en fûts de chêne neuf. Vins délicieux, que l'on aime à la première gorgée, et qui ont un goût de revenez-y.

À l'échelle mondiale, lorsqu'on parle de révolution dans les domaines de la vinification et de la dégustation des vins, les saveurs du Chardonnay sont en tête de file. Ce style de vin a été pour ainsi dire inventé en Australie, mais c'est aussi l'image de marque de la plupart des Chardonnay des États-Unis et de l'Amérique du Sud. Mentionnons aussi l'existence d'un Chardonnay provenant de Penedès, en Espagne, et de plusieurs versions italiennes. Ce style ne se limite pas au Chardonnay: il n'est pas si difficile de produire de nombreux vins blancs différents exhalant des saveurs de fruits tropicaux, et la maturation en fûts de chêne neuf leur donne ces arômes de grillé et de caramel.

11. Vins aromatiques

Vins blancs parfumés qui combinent des parfums exotiques et des arômes de fleurs printanières.

Il semble impossible qu'un vin puisse avoir le caractère du Gewürztraminer d'Alsace. Il regorge de saveurs de rose et de litchis, de crème pour le visage et d'épices de toutes sortes. Sans être subtil, il accompagne merveilleusement bien les plats épicés, surtout les mets chinois.

Nulle part ailleurs on ne réussit à produire un vin de cette qualité. Les versions allemandes sont plus florales, et les Italiens travaillent à rendre leur Traminer moins aromatique.

Pour déguster d'autres vins ayant autant de saveur, il faut revenir en Alsace. Le Muscat sec y est floral, avec un bouquet capiteux de raisins de serre chaude.

Parmi les autres cépages aromatiques, le viognier, avec ses saveurs d'abricot et de fleurs printanières, a atteint son degré de perfection dans la vallée du Rhône. Il est aussi cultivé dans le sud de la France, en Californie et en Australie. L'Albariño, du nord-ouest de l'Espagne, a aussi une saveur d'abricot mais est plus mordant. L'Irsai Olivér de Hongrie et le Torrontés d'Argentine sont tous deux capiteux et parfumés. Le Müller-Thurgau, d'Allemagne ou de Nouvelle-Zélande, évoque un pot-pourri: un verre suffit.

12. Champagnes et mousseux

Déguster du Champagne peut laisser une merveilleuse impression, mais un bon vin mousseux peut contenir autant de saveurs délicieuses.

Le Champagne, fleuron de la région de Champagne, dans le nord-est de la France, établit d'emblée les critères. Un bon Champagne a des arômes de noisette et de pain, une fraîcheur de pomme, et il libère de fines bulles. Cependant, les Champagnes moins chers sont trop acides et n'offrent pas un bon rapport qualité-prix.

Les mousseux d'Australie, de Californie et de Nouvelle-Zélande, élaborés selon les mêmes techniques vinicoles, sont souvent aussi bons et, en général, coûtent moins cher. La plupart des meilleurs crus sont supervisés par des filiales de producteurs français de Champagne. Parmi les bons mousseux français, on trouve le Crémant de Bourgogne, légèrement mielleux, le Saumur de la vallée de la Loire, plus tranchant, et la Blanquette de Limoux du Sud, à la saveur de pomme.

Les vins mousseux italiens, issus des cépages chardonnay et pinot noir, sont dans le style du Champagne, mais le Prosecco, léger et crémeux, et l'Asti, doux et très fruité, peuvent être plus agréables. Le meilleur Lambrusco est vif et rafraîchissant, bien que ceux qui ont été chaptalisés soient plus ternes. Le Cava espagnol est d'un bon rapport qualité-prix. Le Sekt, un Riesling allemand, peut être intéressant.

Les mousseux rouges d'Australie sont sauvages, pleins de saveurs de poivre et de confiture. On les adore ou on les déteste, mais il faut absolument y goûter.

13. Vins doux et dorés

Des vins voluptueux et succulents, souvent avec d'intenses arômes de pêche, d'abricot et de miel. À boire au dessert, ou lorsque vous êtes dans un état de grande détente.

Le Sauternes et le Barzac de France ont toute la magnificence des meilleurs vins doux du Bordelais. Ce sont de riches vins liquoreux, avec d'intenses saveurs de pêche et d'ananas, de sucre d'orge, de caramel et de miel, le tout équilibré par leur acidité. Le Monbazillac, le Cérons, le Loupiac et le Sainte-Croix-du-Mont, plus légers et moins chers, sont à conseiller. La Californie et l'Australie élaborent aussi quelques vins de ce style, intensément riches.

La vallée de la Loire produit plutôt des vins doux différents, moins riches et souvent moins chers. On y retrouve des notes de coing, beaucoup d'acidité et un caractère minéral. Le Quarts de Chaume, le Bonnezeaux et le Vouvray sont des vins qui en valent la peine. Seuls quelques Vouvray sont doux et étiquetés en tant que *moelleux* ou *liquoreux*.

Les vins doux d'Alsace sont suffisamment riches et onctueux pour accompagner le foie gras. Le Sélection de Grains Nobles est plus doux que le Vendange tardive, et le Gewürztraminer est plus gras que le Pinot gris, lui-même plus gras que le Riesling.

Les vins doux d'Allemagne ont leurs propres caractéristiques. Le Beerenauslese et le Trockenbeerenauslese sont intensément doux et coûtent extrêmement cher; le Auslese est moins doux et moins onéreux. Tous devraient être de très haute qualité, et les meilleurs sont élaborés à partir de riesling:

son acidité pénétrante empêche le sucre de masquer les autres saveurs. Les vins doux d'Autriche sont dans le même style que ceux d'Allemagne, mais en plus robustes.

Il existe aussi un vin rare nommé Eiswein, élaboré à partir de raisins qui ont gelé et sont récoltés en plein hiver. Il marie de façon sensationnelle une acidité très prononcée et une douceur onctueuse. L'Apricotty, vin de glace canadien, est produit de cette façon.

Le Tokaji Aszú, de Hongrie, vin de très haute qualité, possède une inimitable saveur aigre-douce évoquant le fumé. Le Muscat doux ainsi que le Moscatel de Valence, tous deux d'Espagne, sont des vins plus ordinaires, mais d'un excellent rapport qualité-prix.

DEUX SORTES DE SUCROSITÉ

Le vin doux est un vin dont la teneur en sucre est à peine perceptible — on la détecte sur le bout de la langue. Cependant, un nombre sans cesse croissant de vins secs modernes mettent l'accent sur les saveurs de fruits mûrs que je décris souvent comme des fruits sucrés pour leur rendre justice. Un fruit est excellent lorsqu'il est bien mûr, et c'est un pur plaisir d'en retrouver les saveurs dans un vin.

14. Vins liquoreux et chaleureux

Vins doux aux saveurs de raisins secs et de cassonade, regorgeant souvent d'autres saveurs.

Le Porto, un vin rouge riche et fortifié de la vallée du Douro, au Portugal, est un vin liquoreux quasi opaque, doux, le grand classique de ce style. Aucun autre n'a pu égaler sa puissance et sa finesse. L'Australie et l'Afrique du Sud élaborent tous deux d'intéressants vins du style Porto. L'île de Madère, au Portugal, produit quelques-uns des vins fortifiés les plus excitants et les plus chaleureux, avec de riches saveurs de brûlé et une incroyable acidité. Parmi eux, le Bual et le Malmsey sont les plus doux.

L'*Oloroso dulce* est un Xérès rare et délicieux avec un concentré de saveurs épatant. Le Xérès brun édulcoré, bon marché, n'est qu'une parodie de ce style. Le Muscat doux de la région de Rutherglen, en Australie, est riche et sombre, parfois même épais et sirupeux. Des îles au sud de l'Italie, le Marsala fortifié de Sicile et le Moscato di Pantelleria sont de bons vins au goût de cassonade, avec une note rafraîchissante d'acidité.

15. Vins liquoreux et fougueux

Vins ultrasecs, avec des saveurs surprenantes, à la fois austères, acides et noisettées. Il faut s'habituer à leur goût, mais ce sont de bonnes bouteilles à acquérir.

Il s'agit ici des Xérès originaires de Jerèz, dans le sud de l'Espagne, non pas des vins chaptalisés et exportés en vrac. Le *Fino* est de couleur pâle, très sec, avec un caractère fougueux et relevé. Le *Manzanilla* peut sembler encore plus sec et plus délicat, avec en surplus un splendide arôme de levain et une vibrante acidité. L'*Amontillado* traditionnel, sombre et sec, a une saveur de noisette. L'*Oloroso* sec ajoute de pénétrantes saveurs de grillé. Il peut être l'un des plus grands vins du monde.

Montilla-Moriles, région voisine de Jerèz, élabore des vins semblables qui, néanmoins, atteignent rarement les qualités d'un bon Xérès. Le Madère le plus sec, le Sercial, est nerveux, minéral et savoureux; le Verdelho est un peu plus rond et gras. L'Australie et l'Afrique du Sud font d'excellents vins de style Xérès, quoique sans le caractère vif et fougueux des meilleurs *Finos* ou *Manzanillos* espagnols.

Ce qui rend chaque vin unique

IL FAUT PEU pour fabriquer du vin. En fait, seul le raisin est indispensable. Au moment où la pellicule du raisin mûr éclate, le jus sucré à l'intérieur du grain vient en contact avec certaines levures qui vivent à l'état naturel dans l'air et sur la surface de la pellicule. Les levures ont un appétit vorace pour le sucre et le convertissent en alcool. Ce processus s'appelle la fermentation.

Mais laisser le soin à la nature d'élaborer ainsi du vin donnerait des résultats très peu satisfaisants. Quelque 500 composés chimiques ont été identifiés dans le vin, et la plupart sont produits naturellement pendant la fermentation. Le travail d'un bon producteur est de s'assurer que les bons composés, c'est-à-dire ceux qui ont bon goût, se développent, et que les mauvais, à saveur de beurre rance ou de vinaigre, soient éliminés.

Étant donné ces 500 composés différents, il n'est pas surprenant que deux vins n'aient jamais exactement le même goût. Le processus de vinification n'est pas le seul responsable des caractéristiques d'un vin: les cépages utilisés, le rendement des pieds de vigne, le climat et l'emplacement des vignobles contribuent tous de façon décisive aux saveurs développées.

Cépages et rendement

Chaque variété de raisins, ou cépage, donne au vin ses propres saveurs de marque. La majorité des vins, de par le monde, sont élaborés à partir de l'un ou de plusieurs des 15 ou 20 cépages les plus populaires.

Le nombre de grappes produites par chacun des pieds de vigne affecte à la fois la saveur du vin et son prix. Plus le rendement est grand, moins le vin est cher. Un rendement faible est, en général, synonyme de qualité. En Bourgogne, les pieds de vigne de pinot noir sont taillés de façon draconienne chaque hiver afin d'éviter qu'ils ne produisent trop. Ces vignes donneront ainsi un meilleur vin.

Mais l'équation n'est pas toujours aussi simple. Chaque vignoble, chaque cépage, chaque pied de vigne a son propre rendement optimal. Laisser les pieds de vignes produire plus que ce niveau signifie une baisse de la qualité du vin.

Les vignobles de la région la plus chaude d'Australie, soumis à une irrigation intensive, produisent du vin à profusion, et ce vin est étonnamment bon marché. Pourtant, grâce à des techniques habiles de vinification et d'entretien des ceps de vigne, ce vin est vraiment bon. Dans d'autres régions d'Australie, on trouve de merveilleux petits vignobles de vignes vieilles de 100 ans. Celles-ci donnent de petites quantités de vins de haute qualité, intenses et concentrés, d'un prix très élevé. Même en traitant les vignobles de production industrielle comme les vignobles centenaires, il serait impossible d'élaborer des vins de même qualité, et ils coûteraient alors aussi cher.

Climat et emplacement

Les vignes s'adaptent remarquablement bien et, dans une

Terme œnologique | **Vinificateur**

Lors de l'élaboration d'un vin, ou **vinification**, le processus naturel de la fermentation est modelé et contrôlé dans le but de créer un produit final spécifique. La personne qui prend les décisions nécessaires est le **vinificateur**. Ce concept moderne d'une personne qui intervient et détermine ainsi le caractère d'un vin s'est développé en Californie et en Australie dans les années 1970. Auparavant, ce rôle était méconnu. Un producteur attentif peut élaborer un vin acceptable à partir de vendanges très ordinaires, et un producteur talentueux, un vin fabuleux à partir de raisins de qualité supérieure. D'un autre côté, un piètre producteur peut produire de très mauvais vins, même si ses voisins créent de grands classiques. Le nom du **producteur** est donc un meilleur critère de qualité que celui du cépage ou de la région de production.

Kim Milne est un «vinificateur volant» australien. Il élabore, à l'échelle mondiale, des vins frais et fruités pour certains producteurs.

Terme œnologique | **Terroir**

L'attitude des vinificateurs français face aux vins repose sur la notion de **terroir**. Le terroir de chaque vignoble est ce qui le rend unique: il peut être défini par l'effet conjugué des caractéristiques du sol, des données climatiques et de l'ensoleillement. De nombreux facteurs y participent: le type de couche arable (pH, composition minérale, perméabilité), la structure du sol en profondeur, la direction des vents, l'exposition au gel, la topographie superficielle, l'orientation, etc. Les vignerons du Nouveau Monde sont plus enclins à voir dans le **climat** le facteur déterminant du style d'un vin; plusieurs commencent cependant à envisager que le concept du terroir peut avoir une certaine importance.

certaine limite (en climat tempéré), elles poussent n'importe où. Selon des croyances traditionnelles, les grands vins ne sont produits que dans des zones «marginales», où règnent des conditions climatiques particulières. Les vins les plus complexes, les plus fins, les plus corsés, les plus aptes à subir un long vieillissement seraient élaborés dans les vignobles où les raisins peuvent atteindre le degré de maturation exact souhaité.

C'est vrai lorsqu'il s'agit de vins traditionnels, comme le Chablis, le Bordeaux ou le Bourgogne, de France, le Riesling d'Allemagne ou le Barolo d'Italie. Mais de nombreux vins modernes classiques venant de Californie, d'Australie, du Chili, d'Argentine et d'Afrique du Sud, sont issus de raisins qui mûrissent bien année après année, dans des conditions idéales.

Malgré tout, un certain équilibre entre la chaleur et le froid est important, et chaque type de raisins nécessite des conditions climatiques spécifiques pour mûrir. Le riesling peut bien mûrir dans les froides vallées d'Allemagne; la syrah, non. Le riesling brûlerait dans la vallée du Rhône, alors que la syrah y mûrirait bien.

Le style de vin a aussi son importance. Pour obtenir un vin qui ait de la délicatesse, du parfum, un équilibre séduisant et un titre alcoométrique relativement bas, les raisins devront mûrir dans des conditions hors normes, c'est-à-dire au cours d'un été et d'un automne pas trop chauds, qui se prolongent. Cela n'a rien à voir avec un vin corsé, plein de saveurs de fruits archimûrs: les raisins dont il est issu mûriront en plein soleil.

Il ne faut pas oublier les caractéristiques du sol. Un sol saturé d'eau, froid, entrave le mûrissement; un sol bien drainé l'avantage. Les flancs de coteau sont bien drainés et, s'ils sont bien orientés, ils capteront plus de soleil; les terrains encastrés dans une vallée sont moins bien drainés et sont souvent exposés au gel. De telles caractéristiques différentes peuvent

L'emplacement du vignoble joue un rôle important dans le style d'un vin. (Dans le sens des aiguilles d'une montre, à partir de la gauche, en haut). 1. Central Valley, en Californie: l'irrigation est à la base de la production de vins simples vendus en vrac; elle est pratiquée à grande échelle dans le Nouveau Monde, mais est considérée comme illégale dans la plupart des pays d'Europe. 2. Les terrasses non irriguées de la vallée du Douro, au Portugal, produisent de petites quantités de raisins chargés de saveurs des plus intenses. 3. La brume du petit matin contribue à faire de la Yarra Valley l'une des plus froides régions d'Australie, conditions idéales pour produire des vins mousseux. 4. Sud de la France: de grosses pierres captent la chaleur du soleil pendant la journée et la diffusent pendant la nuit, une recette pour obtenir des vins riches et généreux.

VIN MILLÉSIMÉ

Cette expression suggère souvent des vins de haute qualité; sous-entendu: déguster un tel vin est tellement mieux que de boire du vin ordinaire. Or, la majorité des vins sont millésimés.

Le millésime indique tout simplement l'année de la vendange et de l'élaboration du vin. Il ne porte aucune connotation de vin vieux ou de vin possédant des caractéristiques particulières. Lorsqu'une année est inscrite sur l'étiquette d'une bouteille, il s'agit de l'année de vinification. Ce vin est alors millésimé.

Tous les vins ne répondent pas à cette catégorie. Par exemple, la plupart des Champagnes et d'autres bons mousseux ne sont pas millésimés: ils proviennent d'un assemblage de plusieurs vins datant de deux ans ou plus. Faire le mélange de cuvées de différentes années assure une certaine constance dans les saveurs et dans le style.

s'observer autour d'un même village, et les vignobles produiront alors des vins complètement différents.

Et tout cela signifie que...

Idéalement, cela souligne la nécessité d'obtenir des raisins parfaits, autant que faire se peut: vendangés à un degré de mûrissement optimal, avec le meilleur équilibre possible entre le sucre et l'acidité, sans pourriture ni mildiou. Par la suite, les compétences du vinificateur et l'attention qu'il porte à son produit seront garantes de la qualité exceptionnelle du vin.

La vinification

La vinification est ce travail difficile et délicat qui consiste à transformer des raisins fraîchement vendangés en une boisson des plus délicieuses. De nos jours, on ne voit plus beaucoup de vignerons parcourir leurs vignobles; il nous faut penser en termes de cuves en acier inoxydable, d'ordinateurs et de mesures d'hygiène dignes d'un laboratoire. Des expérimentations continues avec les équipements et les techniques sont partie intégrante de l'industrie moderne du vin. Néanmoins, la vinification demeure un art délicat, à la fois magique et complexe.

La première étape consiste à traiter le jus des raisins. On exerce par foulage (à l'aide d'un fouloir) une légère pression sur les grains pour en rompre la pellicule. Pour la vinification

Conseils d'expert

Le millésime

Certains des vins les plus prisés à l'échelle mondiale proviennent de vignobles où, chaque année, le fait que les raisins arrivent à maturité ne tient qu'à un fil. Ce sont des régions où le millésime importe beaucoup, les vins pouvant être extrêmement différents d'une année à l'autre. Là où l'on peut compter sur un climat relativement constant, le millésime ne reflète guère que l'âge du vin.

Des tableaux de millésimes désignent dix vins millésimés de différents vignobles des principales régions vinicoles du monde. Faut-il s'y fier?

Un tel type d'information ne peut être que peu précis. Les conditions climatiques peuvent varier à l'intérieur d'une même région et un producteur de qualité produira du meilleur vin au cours d'une mauvaise année qu'un producteur paresseux au cours d'une bonne année. Consultez donc les tableaux de millésimes pour vous faire une idée globale, sans plus.

L'âge et la maturité

Pendant que le vin repose dans sa bouteille, il évolue. Les tanins s'arrondissent, l'acidité s'atténue, les vins rouges pâlissent et développent de la lie, les vins blancs prennent une riche teinte ambrée de noisette. Les vins très acides et tanniques deviendront, avec le temps, plus ronds et moins âpres; s'ils ont, en plus, d'intenses saveurs de fruits, élément indispensable, la réelle qualité du vin ne se révélera qu'après quelques années en bouteille.

Cependant, les vins les plus âgés ne sont pas toujours les meilleurs. Dans la plupart des cas, le millésime le plus récent est l'option à favoriser. Les vins de consommation courante ont tout simplement plus de goût lorsqu'ils sont jeunes; ils se défraîchissent et deviennent ternes et ennuyeux avec le temps.

en vin blanc, il s'agira alors de laisser s'égoutter le jus fermenté (ce qui donnera le meilleur vin) de l'amalgame de pellicules, de rafles et de pépins. Ces derniers ajouteraient du tanin et de la couleur au vin, exactement ce qu'il faut éviter dans un vin blanc. Ce magma est acheminé jusqu'au pressoir pour en soutirer le jus qui reste, lequel est pompé dans un conteneur appelé foudre, ou cuve, pour qu'il fermente. Certains viniculteurs pressurent les grappes entières, sans que le vin n'ait été foulé, afin d'en tirer un jus encore plus frais.

Une des grandes révolutions dans la vinification au XXᵉ siècle a été l'avènement de la fermentation du vin blanc avec contrôle de la température, permettant une fermentation à froid. Cette technique est l'une des raisons pour laquelle les vins d'Australie et du Chili les moins chers, dont les raisins ont poussé dans des climats extrêmement chauds, gardent un goût frais, aux arômes vifs. La plupart des vins blancs modernes gouleyants fermentent dans d'énormes cuves thermorégulées en acier, mais quelques-uns des meilleurs vins blancs secs fermentent dans de petits fûts de chêne, ce qui leur permet de développer des arômes riches de beurre et de vanille.

Le vin rouge s'obtient en laissant fermenter le jus de raisin avec les pellicules, les rafles et les pépins, ces derniers recelant des pigments aussi bien que des saveurs, des parfums, et des tanins, qui sont un agent de conservation. La fermentation se fait en général dans une cuve d'acier inoxydable, de béton ou parfois de bois. La température s'élève beaucoup plus que lors de la fermentation des vins blancs, ce qui permet d'extraire la plus grande partie des pigments des pellicules et le plus de saveurs possible. Il est nécessaire de remuer le moût à intervalles réguliers (ou remontage), les pellicules flottant en surface. Lorsqu'il est sorti des pellicules autant de pigments et de tanins

que désiré, le jus est pompé par le fond dans une autre cuve pour qu'il termine lentement sa fermentation. Les pellicules, la pulpe et les pépins sont alors recueillis et pressurés.

Le vin rosé est issu de raisins rouges qui servent, en général, à l'élaboration du vin rouge. Le jus non encore fermenté obtenu après pressurage est séparé des pellicules et des rafles après une courte macération, de telle sorte que le vin n'est que peu teinté. Le moût fermente ensuite seul, comme lors de l'élaboration d'un vin blanc. Certains trichent en ajoutant un peu de vin rouge dans du vin blanc, mais le vin qui en résulte n'est pas un véritable rosé, et le goût laisse à désirer.

Après la fermentation

La fermentation est terminée lorsque tout le sucre s'est transformé en alcool, ou que le titre alcoométrique devient assez élevé pour tuer les levures. On peut alors produire un vin en mélangeant ensemble le contenu de deux ou de plusieurs cuvées. Cette technique, qui permet d'assembler différents cépages, ajoute tout un nouvel éventail de saveurs au vin.

Le vin n'est pas encore prêt à être mis en bouteille. Il faut qu'il passe par une phase de maturation, ou élevage, qui peut durer de quelques jours à plusieurs années, selon les cépages et la palette aromatique désirée. La maturation en petits fûts de chêne (barriques) confère au vin des saveurs riches et un arôme de pain grillé. Plus les fûts sont neufs, plus ils dégagent des tanins qui modifient le goût du vin. Un vieux fût ne bonifiera pas nécessairement le vin. Ce type de maturation convient parfaitement à un vin au goût prononcé, comme le Cabernet-Sauvignon, mais anéantirait un vin délicat comme le Riesling.

Les fûts de chêne coûtent cher. On peut alors ajouter des copeaux de chêne ou même de la saveur de chêne dans la cuve de vin. Ce n'est ni subtil ni élégant, mais efficace pour les vins bon marché. La maturation en cuve d'acier inoxydable ou de béton permet aux arômes fruités du vin de se développer pleinement, et s'avère idéale pour les vins frais comme le

CI-CONTRE: Un pressoir sépare les pellicules, les pépins et les rafles du moût du raisin. Pour les vins blancs, les raisins sont pressurés avant que la fermentation commence; les vins rouges sont pressurés à la fin. CI-DESSUS: Pour extraire les pigments des pellicules des raisins rouges, le vin fermenté est soutiré par-dessus la couche de pellicules et de pulpe qui se forme dans la cuve.

Sauvignon blanc fringant ou le Riesling à l'acidité tranchante.

Lors du processus de maturation, après la fermentation alcoolique, les vins rouges sont soumis à une seconde fermentation survenant naturellement, la fermentation malolactique. Une souche de bactéries lactiques attaque l'acide malique âcre du vin (acide des pommes non mûres) et le transforment en acide lactique plus doux (principal acide du lait). Cette fermentation n'est guère appropriée à l'élaboration de certains vins blancs; dans ce cas, les bactéries sont filtrées ou tuées.

Élaboration des Champagnes et des mousseux

Tous les meilleurs Champagnes et vins mousseux, et tous ceux qui portent le label «méthode traditionnelle» sont élaborés selon la méthode champenoise développée en Champagne.

Un Champagne, ou un vin mousseux, est obtenu après une deuxième fermentation d'un vin blanc tranquille, ou vin de base. Ce vin tranquille est très acide, mais il a tout le potentiel voulu pour se transformer en un grand Champagne. Le vin

tranquille est d'abord mis en bouteille. On y ajoute ensuite un peu de levure et du sucre pour initier une seconde fermentation. Les bouteilles doivent être scellées avec de solides bouchons cerclés de fer, ou muselets: la fermentation ayant comme effet la production de gaz carbonique qui crée une énorme pression à l'intérieur de la bouteille. Puisqu'il ne peut s'échapper, le gaz carbonique reste en solution dans le vin, jusqu'au jour où la bouteille sera ouverte pour laisser sortir une mousse joyeuse et d'élégantes traînées de petites bulles.

Malheureusement, les levures mortes laissent un dépôt peu avenant et d'une texture assez épaisse dans la bouteille. Le seul moyen de l'enlever est de le soutirer par le goulot. Dans les caves de Champagne, des milliers de bouteilles sont entreposées dans des supports (pupitres), à l'horizontale, légèrement inclinées vers le bas. Chaque jour, pendant environ trois mois, les bouteilles sont tournées et doucement frappées pour que le dépôt glisse vers le goulot. C'est le remuage.

Il faut ensuite procéder au dégorgement. Lorsque tout le sédiment s'est déposé au niveau du goulot, celui-ci est plongé dans de la saumure pour qu'il congèle. Lorsqu'on ouvre la bouteille, le sédiment est expulsé sous l'effet de la pression. Le vin est alors dosé. On y ajoute un peu de liqueur de dosage, ou d'expédition (mélange de vin et de sirop de sucre) afin d'éliminer l'acidité mordante du vin. La bouteille est alors rebouchée définitivement avec un bouchon de Champagne retenu par un muselet, tout cela sans perdre le précieux gaz carbonique.

Une autre méthode permet de produire du vin effervescent en visant le même objectif: dissoudre le gaz carbonique dans le vin et garder les bulles dans la bouteille. Le procédé de la fermentation en cuve close, ou méthode charmat, se fait dans une grande cuve scellée qui tient lieu de bouteille géante. Le vin fermente d'abord en bouteille, comme pour le Champagne, puis est transféré dans la cuve pour la seconde fermentation. L'option la moins chère, mais la pire, est la gazéification: au lieu de laisser le vin fermenter, on ajoute du gaz carbonique au vin tranquille, de la même façon que pour obtenir une boisson pétillante. Le résultat: l'obtention de grosses bulles qui disparaîtront une fois la bouteille ouverte; le vin sera décevant et aura des effets dyspeptiques sur l'organisme.

Élaboration des vins doux

Pour qu'un vin soit doux, il doit contenir une quantité notable de sucre resté après la fermentation, ou sucre résiduel. La méthode la plus simple et la moins coûteuse consiste à arrêter la fermentation avant que tout le sucre se soit transformé en alcool. Il faut par la suite débourber le moût par centrifugation ou filtration. On obtient alors des vins de basse catégorie.

Les bons vins doux sont élaborés à partir de raisins tellement riches en sucre que les levures n'arrivent pas à le faire entièrement fermenter avant que le niveau d'alcool atteint les tue. Les vins doux intenses, entre autres le Sauternes, proviennent de raisins affectés de champignons (*Botrytis cinerea*) appelés **pourriture noble** ou **moisissure grise des grappes de la vigne**. Elle est noble parce qu'au lieu de détruire les raisins, les champignons permettent la réduction de la teneur en eau du jus et la concentration du sucre et de l'acidité.

Une technique italienne, le passerillage sur souche, consiste à laisser les grappes de raisins se racornir par dessiccation naturelle pendant plusieurs mois après les vendanges avant d'en faire du vin. Ces vins sont qualifiés de *passito* ou *recioto*.

Élaboration des vins fortifiés

Les vins doux ou secs ayant 15% d'alcool ou plus sont en général élaborés en y ajoutant du cognac ou un alcoolat pur (eau-de-vie). Cette pratique de renforcer certains vins par ajout d'alcool a été développée pour leur permettre de mieux voyager.

Prenons le Porto. Il y a deux ou trois cents ans, personne n'appréciait tellement les vins rouges rugueux de la vallée du Douro. On y ajouta alors du Cognac pour interrompre la fermentation (principe du mutage). Les levures ne pouvant survivre lorsque le titre d'alcool atteint un certain niveau, les vins devinrent alors plus alcoolisés et délicieusement doux. C'est ainsi que le Porto a acquis sa notoriété.

L'élaboration du Xérès est différente. Le Cognac est ajouté après fermentation, donc le vin reste sec. En barrique, le Xérès sec, extrêmement raffiné, produit en surface un voile de levure appelé flor, qui lui confère une nuance d'amande amère, presque surette, si caractéristique. Le Xérès doux est chaptalisé avant l'embouteillage.

P. 28: *Les bouteilles de Champagne sont entreposées en position inclinée, dans des supports appelés pupitres, pour en recueillir les sédiments (dépôts laissés par la fermentation).*
P. 29 (DANS LE SENS DES AIGUILLES D'UNE MONTRE, EN PARTANT DU HAUT, À GAUCHE) *1. Le Tokaji doux de Hongrie développe, avec l'âge, une riche couleur. 2. Les raisins atteints du Botrytis cynerea ont un piètre aspect, mais permettent d'élaborer de délicieux vins doux. 3. La flor, à la surface du Xérès, lui confère une saveur vive d'amande amère.*

Découvrir les variétés de cépages

C'EST EN APPRENANT à connaître les différentes variétés de cépages qu'on peut mieux saisir les saveurs des vins. Chaque cépage possède ses propres saveurs. Deux vins portant des noms différents, produits à des milliers de kilomètres de distance, auront beaucoup d'affinité s'ils sont élaborés à partir du même cépage.

Tous les vins ne proviennent pas d'un seul cépage. Les Bordeaux rouges, par exemple, sont le résultat de l'assemblage d'au moins trois vins d'origine, et l'un des vins classiques australiens est un mélange de deux cépages réputés, le cabernet-sauvignon et le shiraz. Lorsqu'on connaît le goût de différents cépages, on peut se faire une bonne idée de ce que donnent de telles combinaisons.

Les cépages rouges

Je commence par les rouges que certains qualifient de noirs; ils sont en réalité mauve sombre ou bleus foncés. Il est donc facile de faire le lien avec les vins rouges qui en découlent. Il y a plus dans les vins rouges que de la robustesse, de la puissance ou le fait qu'ils soient bons avec les viandes rouges et le fromage. Délicatesse, fraîcheur et parfums fascinants caractérisent une large gamme de cépages rouges à travers le monde.

Le barbera

Aucun vin fameux au monde n'a encore pris le nom de ce cépage de haute qualité qui a du caractère. Son lieu d'origine est le Piémont, dans le nord-ouest de l'Italie. Il permet d'élaborer des vins avec des saveurs mordantes d'herbes et de cerises sûres, collant tellement au goût italien que l'on ressent presque le besoin de déguster un plat de pâtes. Le Barbera, aigre-doux, est le summum des vins qui font saliver. Il est acidulé, plutôt rugueux, et acide sans être trop astringent.

Il en existe je ne sais combien de versions dans tout le Piémont, mais les plus célèbres sont le Barbera d'Alba et le Barbera d'Asti. À partir du barbera, la Californie élabore des vins très simples, et l'Argentine en produit d'excellents. *Ne pas confondre avec le Barbaresco, un vin robuste et tannique, de la même région du nord-ouest de l'Italie.*

Le cabernet-sauvignon   *Voir page 31.*

Le gamay

Sur tous les points, le gamay égale le beaujolais. Un des phénomènes du monde vinicole: ce cépage étend son aire de culture à flanc de coteaux granitiques, dans le sud de la Bourgogne, et pour ainsi dire nulle part ailleurs. En Ardèche, dans le sud de la France, on en cultive quelques ceps, tout comme dans la vallée de la Loire, dans l'ouest.

Le gamay n'est pas un cépage à prendre trop au sérieux. Il permet d'élaborer des vins légers, rafraîchissants, avec des arômes acidulés de bonbons à la cerise et de framboise, à boire légèrement réfrigérés pendant les chaudes journées d'été. Un bon Beaujolais-Villages est un excellent achat. Les Beaujolais plus simples et le Beaujolais nouveau

---

🍷 Terme œnologique | **Les cépages nobles**

À travers le monde, certains cépages ont atteint un tel niveau de perfection qu'ils sont élevés pour la noblesse de leurs raisins et sont souvent cités comme étant des cépages nobles. Les meilleurs exemples en sont: en France, le **cabernet-sauvignon** du Bordelais, le **chardonnay** et le **pinot noir** de la Bourgogne, la **syrah**, de la vallée du Rhône, le **chenin blanc** et le **sauvignon blanc**, de la vallée de la Loire; le **shiraz** (équivalent de la syrah) dans le sud de l'Australie; le **nebbiolo**, dans le Piémont, en Italie; le **sangiovese** de Toscane, en Italie; le **riesling**, en Allemagne; et le **zinfandel**, en Californie.

Le zinfandel de Californie fait partie des cépages nobles.

1992
A. RAFANELLI
ZINFANDEL
DRY CREEK VALLEY
SONOMA COUNTY
UNFILTERED
PRODUCED AND BOTTLED BY
A. RAFANELLI WINERY
HEALDSBURG, CALIFORNIA
Alcohol 14.1% by volume

Le cabernet-sauvignon

Le cabernet-sauvignon donne naissance à un vin de garde recherché, sombre, de style intense, jamais léger, à l'arôme de cassis, et qui peut être d'une franche élégance. Les meilleurs vins arrivent lentement à maturation pour atteindre un équilibre entre l'arôme doux du cassis et un bouquet de cèdre, de cigare et de graphite. Il est souvent assemblé avec du merlot et y gagne des saveurs plus riches.

Le lieu de production Dans presque tous les vignobles, on trouve quelques pieds de cabernet. Le Bordelais est son fief, mais on en trouve aussi dans le sud de la France. L'Italie en possède quelques versions de très haute qualité; les bons cabernets d'Espagne sont presque tous cultivés en Navarre et en Penedès; on en cultive en Europe de l'Est, entre autres en Bulgarie, sur de larges périmètres d'exploitation et on en tire des vins bon marché.

Les Cabernets du Nouveau Monde sont très fruités, avec des tanins riches et doux, et parfois une note de menthe ou d'eucalyptus. La Californie et l'Australie élaborent des Cabernets de classe mondiale; le Chili en a de bons à très bas prix; l'Afrique du Sud améliore de plus en plus sa production. La Nouvelle-Zélande s'oriente vers un style qui se rapproche plus du Bordeaux.

Le laisser vieillir ou le déguster? Plusieurs pensent que le Cabernet-Sauvignon est un vin qui a besoin de vieillir en bouteille. Or, il n'y a que les meilleurs Bordeaux rouges et les Cabernets supérieurs de Californie et d'Australie qui soient de longue garde. La plupart des Cabernets du Nouveau Monde et les Bordeaux rouges les moins chers peuvent être bus aussitôt achetés.

Le choix des connaisseurs Les Bordeaux supérieurs Château Lafite-Rothschild, Château Latour, Château Haut-Biron, Château Mouton-Rothschild et Château Margaux sont légendaires.

Meilleur rapport qualité-prix Les vins bulgares, chiliens, et ceux du sud de la France permettent de faire des achats avantageux.

Le Cabernet et les aliments Le Cabernet rouge moderne peut accompagner n'importe quel plat, mais il est meilleur avec des viandes rouges cuites au naturel.

Ne pas confondre avec le cabernet franc, un cépage apparenté, ou avec le sauvignon blanc.

La pellicule épaisse des raisins cabernet-sauvignon est bourrée de tanins, ce qui peut marquer le vin d'un goût robuste de poivron vert si les fruits sont cueillis insuffisamment mûrs.

manquent souvent de saveurs fruitées.

Les dix villages les plus spécialisés dans le Beaujolais, appelés les *crus* du Beaujolais, élaborent des vins un peu plus sérieux, dont certains de garde. Mais le gamay produit presque toujours des vins à boire jeune.

Le grenache

Certains raisins aiment la chaleur; le grenache adore tout simplement les vignobles écrasés de soleil de l'Espagne et du sud de la France. Les fruits très mûrs qui en résultent permettent d'élaborer des vins à fort titre alcoométrique, aux saveurs douces et poivrées. Cependant, le grenache est excellent dans les mélanges. En le combinant avec un cépage plus robuste, plus agressif, comme la syrah (ou Shiraz), on obtient un vin corsé et chaleureux doté de saveurs épicées d'un fruité enrobant. Lorsqu'un rosé est aussi savoureux qu'entêtant, il

LES VINS ORGANIQUES

Dans le monde entier, qu'il s'agisse de viticulture ou d'agriculture, un fort courant vise à l'utilisation de méthodes biologiques. Certains vignerons prônent l'élimination de pesticides, d'herbicides et de fertilisants chimiques et retournent aux méthodes naturelles. Il n'existe pas de normes internationales régissant la viticulture biologique, mais des organisations locales ont vu le jour dans plusieurs régions.

Cependant, les vignes sont toujours sujettes à de graves maladies causées par des champignons, comme le mildiou et l'oïdium, qui peuvent ravager tout un vignoble. Certains insectes nuisibles peuvent répandre des virus mortels ou affaiblir eux-mêmes les vignes. Les conséquences d'abandonner l'usage de tout produit chimique peuvent être très grandes. Une solution de rechange populaire à la viticulture entièrement biologique est de réduire l'utilisation des produits chimiques à l'essentiel.

L'**agriculture biodynamique** va encore plus loin que la viticulture biologique, et observe le principe consistant à «travailler avec la nature plutôt que contre elle». Les travaux dans les vignobles sont étudiés en fonction des rythmes naturels, prenant même en considération les phases lunaires et le mouvement des planètes, afin d'en tirer le maximum de bénéfices.

est fort probable qu'il soit élaboré à partir de grenache.

Le nom d'origine de ce cépage d'Espagne est le garnacha tinta. Il étoffe certaines cuvées de Riojas rouges, permet d'élaborer des vins rosés incroyablement légers dans la Rioja et la Navarre, et des vins rouges provenant de Priorato, extrêmement concentrés, riches et corsés, qui coûtent souvent très cher. Des vins riches et concentrés, particulièrement ceux issus des vignes vieilles de grenache, proviennent d'Australie. La Californie et l'État de Washington élaborent des vins plus légers.

Comme nous l'avons déjà souligné, le grenache s'avère excellent lorsqu'il est en bonne compagnie. Dans le sud de la vallée du Rhône, en France, il figure parmi pas moins de 13 variétés de cépages à partir desquels est élaboré le meilleur vin de cette région, le fameux Châteauneuf-du-Pape, un vin rouge complexe, doux et parfumé, avec une touche de poivre. Les saveurs de fraise et de framboise et les notes de terre chaude et poussiéreuse de ce cépage ressortent particulièrement dans les Côtes du Rhône et Côtes du Rhône-Villages les plus doux. Le Grenache, un vin de pays de l'Ardèche voisine, est léger, fruité, et d'un bon rapport qualité-prix.

Aussi connu sous l'appellation garnacha ou garnacha tinta, en *Espagne.*

Le merlot *Voir page 33.*

Le nebbiolo

Dégusté trop jeune, le Nebbiolo est le vin rouge le plus agressif que l'on puisse jamais rencontrer. Il doit vieillir pendant quelques années avant que l'acidité très élevée et la forte tannicité relâchent leur emprise et dégagent de remarquables saveurs de goudron et de rose, sur fond de chocolat, de cerise, de raisin et de prune, avec un parfum austère de tabac et d'herbes. Il s'agit de la plus sévère incarnation des vins rouges italiens de style aigre-doux, toujours à son meilleur lorsqu'il accompagne des mets plantureux. Le nebbiolo ne pousse pour ainsi dire que dans la région du Piémont, au nord-est de l'Italie. Les plus grands vins classiques issus du nebbiolo sont le Barolo et le Barbaresco. Les vins plus modernes doivent vieillir en bouteille pendant cinq ans, les vins de style tradi-

Le merlot

Le merlot offre des vins veloutés, fruités, avec des arômes caractéristiques de cassis, de cerise noire et de menthe. Ils ont un titre alcoométrique plus élevé et présentent moins d'acidité et de tanin que le Cabernet-Sauvignon, avec lequel ils sont souvent mélangés.

Le lieu de production Le merlot vient du Bordelais, où il était élevé autrefois en tant que culture de soutien. Il est aujourd'hui implanté dans le monde entier. Les grands vins de Pomerol et de Saint-Émilion dans le Bordelais sont élaborés à partir de merlot, assemblé avec du cabernet. Ces vins montrent le merlot sous ses côtés les plus sévères et les plus intenses, mais restent néanmoins plus fruités et plus veloutés que les vins de Bordeaux supérieurs dont l'élément de base est le cabernet.

Le Chili est le territoire béni des dieux pour le merlot, qui, lorsqu'il est excellent, permet d'élaborer des vins rouge grenat somptueux avec une richesse de fruits croquants incroyable. La Californie et l'État de Washington en tirent des vins plus sérieux, mais le doux et le velouté restent prépondérants. L'Australie et l'Afrique du Sud commencent tout juste à en produire. La Nouvelle-Zélande élabore déjà, à partir du merlot, certains de ses meilleurs vins rouges.

Avec le merlot, la Vénétie, en Italie, produit un vin léger gouleyant; d'autres crus pleins de saveurs proviennent de Frioule, de l'Alto Adige et de Toscane. La culture de ce cépage connaît un accroissement rapide en Hongrie et en Bulgarie. Dans les régions chaudes du sud de la France, il semble perdre de son caractère.

Le laisser vieillir ou le déguster? En général, ce vin se boit jeune, surtout s'il provient du Chili ou d'Europe de l'Est. Les Merlots supérieurs du Bordelais peuvent atteindre jusqu'à 20 ans d'âge.

Le choix des connaisseurs Château Pétrus et Château le Pin, de Pomerol, sont deux vins parmi les plus grands du monde, et aussi parmi les plus onéreux.

Meilleur rapport qualité-prix Lorsqu'il est bon, rien ne peut battre un jeune Merlot du Chili.

Le Merlot et les aliments Le Merlot se marie avec la plupart des aliments, mais les mets aromatiques qui ont une touche de douceur, comme le jambon rôti au miel, s'accordent particulièrement bien avec sa douce saveur fruitée.

Le vin provenant de ce cépage merlot sera assemblé avec du Cabernet-Sauvignon pour produire un Bordeaux rouge classique à saveur de cassis.

Le pinot noir

Lorsqu'il est excellent, le Pinot noir est merveilleusement envoûtant, avec une texture soyeuse séduisante; au pire, il est lourd ou insipide. Un bon Pinot jeune a un parfum et un goût doux de fruits d'été. En vieillissant, les meilleurs développent des arômes complexes et quelque peu saugrenus de truffes, de gibier et de feuilles mortes en décomposition.

Le lieu de production De nos jours, ce cépage est largement répandu: les producteurs en sont férus et veulent l'adopter. Il est originaire de la Bourgogne. Ceux qui le cultivent ont pour ambition d'élaborer des vins ayant les caractéristiques des grands Bourgognes rouges, comme le Volnay ou le Vosne-Romanée. Plusieurs aspirent à produire des vins ressemblant à un bon Bourgogne rouge. Ce cépage est probablement l'un des moins faciles à élever; il refuse obstinément d'acquérir les saveurs voulues s'il n'est pas traité exactement comme il se doit. Néanmoins, certains des meilleurs vins élaborés à partir de ce cépage viennent de Californie, de l'Oregon et de Nouvelle-Zélande, ce qui prouve que les producteurs de ces régions l'ont adopté. Les vins d'autres provenances sont souvent moins convaincants.

Le laisser vieillir ou le déguster? En général, il est conseillé de le boire sans tarder. Seuls les meilleurs vins valent la peine de vieillir, mais pas aussi longtemps qu'un Cabernet-Sauvignon de qualité équivalente.

Le choix des connaisseurs Le pinot noir, seul cépage rouge des vignobles de la Côte d'Or, permet d'élaborer d'illustres Bourgognes grand cru. Le vignoble de la Romanée-Conti a la réputation d'être l'un de ceux qui ont le plus de valeur.

Meilleur rapport qualité-prix Le Chili produit quelques vins à des prix raisonnables. Pour déguster un véritable Bourgogne, il faut essayer un Bourgogne rouge de base élaboré par un producteur reconnu de la région du même nom.

Le Pinot et les mets Ce vin accompagne bien les repas, par exemple un plat de viande, simple ou raffiné, ou du saumon ou du thon.

Connu aussi sous le nom de spätburgunder en Allemagne, pinot nero en Italie, blauburgunder en Australie.
Ne pas confondre avec les cépages blancs pinot blanc et pinot gris, ou avec le cépage rouge pinot meunier, tous de la même famille.

Le village de Gevrey-Chambertin produit certains des meilleurs Pinots noirs de Bourgogne.

tionnel pendant vingt ans. Des vins plus moelleux, plus aristocratiques, sont d'ailleurs élaborés dans le Piémont: le Nebbiolo d'Alba, le Langhe, le Gattinara, le Ghemme et le Carema — parfois sous l'appellation de spanna, autre dénomination du cépage nebbiolo.

Quelques producteurs de Californie, indéfectiblement attachés aux vins italiens, sont à peu près les seuls à cultiver du nebbiolo, bien que quelques Australiens commencent à s'y intéresser sérieusement.

Connu aussi sous le nom de *spanna.*

DES VINS BLANCS À PARTIR DE RAISINS ROUGES

Le jus à l'intérieur d'un grain de raisin est clair, quelle que soit la couleur de sa pellicule. Si l'on extrait le jus de raisin par pressurage avant la fermentation, on obtiendra du vin blanc.

Les Français appellent ces vins les Blancs de noirs, style qu'illustre bien le Pinot noir champenois. Le Zinfandel blanc, ou *blush*, est moins édifiant: l'on perd, par ce processus de vinification, tout le caractère des baies qui rend le Zinfandel si excitant.

Mis à part ces deux exemples, il n'est pas fréquent qu'on élabore du vin blanc à partir de raisins noirs. En Champagne, on utilise le pinot noir de cette façon pour donner du poids et du corps à un mélange donné. En Californie, le but original de l'élaboration du Zinfandel blanc était d'utiliser un cépage alors peu prisé. Les demandes en vins rouges sont maintenant trop élevées pour tirer, des cépages rouges, des Blancs de noirs, sans avoir une très bonne raison de le faire.

Le Bollinger, un Blanc de noir de Champagne rare et cher, est élaboré à partir de pinot noir provenant de vieilles vignes. Le Zinfandel blush Woodbridge, très populaire, est aussi bon que le Bollinger.

Le pinot noir *Voir page 34.*

Le pinotage

Conçu, élevé et développé pour répondre aux exigences des sols et du climat d'Afrique du Sud, ce cépage produit à la fois des vins de forte texture à saveur de quetsche et d'autres plus moelleux, plus fruités, avec des arômes de prune, de banane, de cassis et de guimauve grillée. C'est un vin que l'on adore ou que l'on déteste. Même chez les producteurs d'Afrique du Sud, certains l'adorent, d'autres n'y toucheront pas. Les vins rouges chaleureux et épicés sont les meilleurs.

Jusqu'ici, le pinotage est presque confiné à l'Afrique du Sud, mais cela risque de changer. La Nouvelle-Zélande en produit déjà quelques vins, et le Chili et l'Australie sont en train d'expérimenter ce cépage.

Le sangiovese

Ce cépage au nom peu familier est pourtant à la base de l'élaboration du Chianti, le vin rouge italien le plus fameux. C'est à lui qu'on doit la touche aigre-douce de thé du Chianti et de ses arômes de cerise et de prune.

Le sangiovese n'est pas cultivé pour le seul Chianti. Vous trouverez des vins sous étiquette Sangiovese dans presque toute l'Italie, sauf à l'extrême nord du pays; certains seront un peu dilués, minces et acides, mais beaucoup seront des vins de table légers, attrayants, avec un goût fruité végétal et un fini râpeux, exactement ce qu'il faut servir avec les pâtes.

Dans les meilleurs vignobles de la Toscane, le sangiovese est cultivé avec grand sérieux. Vinifié seul, il permet l'élaboration de vins robustes, comme le Brunello di Montalcino et le Vino Nobile di Montepulciano. Ces vins de renommée mondiale ont besoin de vieillir, comme les meilleurs Chianti, mais la plupart des Sangiovese sont meilleurs bus jeunes et frais.

Quelques vignes de sangiovese sont élevées en Californie, en Australie et en Argentine, et permettent déjà d'élaborer quelques vins intéressants. Mais, pour le moment, rien n'égale les meilleurs vins italiens.

Aussi connu sous le nom de *brunello et prugnolo.*

La syrah (ou shiraz)

L'intensité est le terme qui définit le mieux les vins Syrah ou Shiraz. Intensément riches, intensément épicés, intensément doux et fruités, ou les trois à la fois. Le plus puissant est au début sombre, dense et tannique mais, avec l'âge, il s'approprie des saveurs douces de mûre et de framboise et une texture veloutée.

Le lieu de production La syrah pousse surtout en France et en Australie (shiraz), et les deux cépages s'équivalent en ce qui a trait à la qualité. La syrah française donne des vins plus fumés, plus herbacés et plus austères. Le shiraz australien est plus riche, plus doux, avec des arômes de cuir.

L'Australie est un immense pays, et les styles de vin varient selon les régions: le Shiraz de l'État de Victoria peut être plus poivré; celui de la Barossa Valley aura des arômes de cuir et de chocolat. Les vins Shiraz qui ont de l'âge, d'où qu'ils viennent, peuvent être très intenses.

L'Afrique du Sud, l'Italie, voire la Suisse, élèvent tous quelques pieds de shiraz. La Californie en produit des vins d'assez bonne qualité mais, jusqu'à présent, ils sont assemblés avec d'autres variétés. L'Argentine étudie pour l'instant les données prévisionnelles du marché.

Le laisser vieillir ou le déguster? Pour atteindre leur plein épanouissement, tous les Syrah ou Shiraz ont besoin d'un an ou deux de vieillissement après la vinification. Les vins supérieurs auront dix ans d'âge, et un grand Hermitage peut vieillir en bouteille jusqu'à 15 ans.

Le choix des connaisseurs L'Hermitage ou le Côte-Rôtie, du nord de la vallée du Rhône; le Grange, d'Australie, connu pendant des années sous le nom de Grange Hermitage.

Meilleur rapport qualité-prix Vin du sud de la France ou d'Argentine.

La Syrah, ou Shiraz, et les mets Ce vin, à fort arôme de pétrole, peut se marier avec des saveurs puissantes, lors d'un grand repas, ou avec un salami bien poivré et un fromage ayant du caractère.

Deux dénominations Il s'appelle Syrah en France, Shiraz en Australie. Les autres régions utilisent l'une ou l'autre appellation.

Ne pas confondre avec la petite syrah, un cépage cultivé en Californie et au Mexique.

Les cépages syrah des coteaux de l'Hermitage permettent d'élaborer des vins sombres et denses, qui ont besoin de vieillir pendant des années.

La syrah ou le shiraz *Voir page 36.*

Le tempranillo

Cépage à tout faire d'Espagne, présent un peu partout, à partir duquel on élabore des vins de toutes catégories: des vins grands et prestigieux dans le Ribera del Duero, des vins rouges de garde dans le Rioja et des vins non boisés, jeunes et fruités à Valdepeñas, La Mancha, Somontano et dans plusieurs autres régions. Les vins issus du tempranillo ont de bonnes caractéristiques mais ne sont pas toujours reconnaissables, comme le serait un Cabernet-Sauvignon ou un Pinot noir. Le caractère le plus distinctif du Tempranillo est son arôme prononcé de fraise. Les vins les plus prestigieux et les plus corsés tendent à allier des arômes de prune, de mûre et d'épices, le tout enrobé de notes boisées et vanillées. Seuls les vins les plus subtils ont besoin de vieillir; les plus simples doivent être dégustés jeunes et frais.

Dans le nord du Portugal, le tempranillo est appelé tinta roriz, important cépage pour le Porto, ce vin de liqueur classique. Il participe aussi à l'élaboration du Dão et du Douro. Sous le nom d'emprunt aragonez, il est à la base de certains vins fruités d'Alentejo, dans le sud.

L'Argentine le cultive pour sa vivacité et ses saveurs fruitées; la Californie, l'Oregon et le sud de la France en sont à l'étape de l'expérimentation.

Aussi connu sous le nom de... cencibel, tinto del país, tinto del toro, tinto fino, tinto de Madrid et ull de llebre en Espagne; tinta roriz et aragonez au Portugal. Et il ne s'agit que d'une liste abrégée!

Le zinfandel

Ce cépage, une spécialité de la Californie, permet d'élaborer des vins de toutes sortes, pour tous les goûts. Le meilleur Zinfandel est un vin rouge sec, épicé et chaleureux. Les autres vins vont de l'insipide *blush wine*, pâle et douceâtre, aux vins doux intensément savoureux. Tous les vins rouges Zinfandel de Californie ont en commun des saveurs de baies mûres, mais leur intensité varie énormément, de légère à extrêmement puissante.

Les vins bon marché sont en général des rouges légers, friands et fruités. Les Zinfandels de très grande qualité coûtent

Chaque année qui passe, cette vieille vigne de Zinfandel dans la Russian Valley de Californie déverse des saveurs plus intenses dans des grappes de plus en plus rares.

très cher. Le comté de Mendocino produit un Zinfandel bien charpenté, tannique, plein d'arômes de mûre et d'épices. Il est riche, sombre et charnu dans le Napa, plus rond et plus épicé à Sonoma, sauvage et merveilleux lorsqu'il provient des vieux vignobles des contreforts de la Sierra. Les saveurs musclées et pulpeuses de ces Zinfandels corpulents accompagnent bien tous les mets, des côtes de bœuf grillées aux plats les plus riches de la côte du Pacifique.

En dehors des États-Unis, ce cépage suscite moins de respect. Cependant, il est cultivé dans quelques régions d'Australie, d'Afrique du Sud et du Chili, où on produit des vins de qualité raisonnable. Pour très peu cher, il est encore possible de déguster un vin riche et onctueux, presque trop confituré.

Le zinfandel appartient probablement à la même variété de raisins que le primitivo du sud de l'Italie. Le vin élaboré à partir de ce dernier est d'un très bon rapport qualité-prix, et certains Primitivos portent la dénomination «Zinfandel» sur l'étiquette, question de notoriété.

Aussi connu sous le nom de primitivo en Italie, et correspond probablement au plavac mali de Croatie.

Les cépages blancs

Verts, jaunes, rosés, voire bruns sur le cep de la vigne, ces raisins promettent des vins rafraîchissants. Les vins blancs qui en sont tirés ont des caractéristiques allant du très mordant aux saveurs les plus riches et les plus exotiques.

Le chardonnay *Voir page 39.*

Le chenin blanc

Un arôme extraordinaire, un contraste saisissant mariant la richesse du miel, de la goyave et du coing, avec des saveurs minérales qui s'appuient sur une tonifiante acidité. Le chenin peut servir à élaborer des vins secs quasi asséchants, des mousseux, des vins moelleux ou encore de merveilleux vins liquoreux à base de raisins affectés de pourriture noble.

Le chenin participe à l'élaboration des vins blancs du cœur de la vallée de la Loire, en France: le Vouvray, le Savennières, le Saumur et d'autres encore. Il peut avoir du mal à mûrir, mais les chauds étés des années 1990 et les techniques de pointe dans les vignobles et les caves semblent avoir résolu le problème. Des vins plus simples ont un bon arôme de pomme et de miel; d'autres, comme le Vouvray sec, laissent percer une traînée de saveur minérale, réminiscence du soleil dardant sur le granite. Les meilleurs Chenins doux de la Loire proviennent de Bonnezeaux, Quarts-de-Chaume et Coteaux-du-Layon. Ces vins doivent vieillir en bouteille des années avant d'atteindre leur pleine richesse.

Le chenin est le cépage qu'on cultive le plus en Afrique du Sud. Il est surtout utilisé pour élaborer des vins simples, mais un nombre croissant de producteurs essaient d'en tirer plus de caractère. La Nouvelle-Zélande et l'Australie produisent, en petite quantité, un bon chenin fruité. La Californie et l'Argentine l'utilisent pour en tirer des vins simples sans caractère. La Loire domine sans équivoque, pour ce qui est des variétés, du style et de la qualité.

Le gewürztraminer

Le vin issu de ce cépage a des arômes percutants de litchis et de pétales de rose, suivis de saveurs puissantes et glycérinées. Sec ou doux, il s'agit du vin le plus intensément aromatique du monde. «Gewurz» signifie «épicé», même s'il est difficile d'imaginer une seule épice évoquant le Gewürztraminer. Délicieux, il se déguste seul, et s'allie très bien aux mets asiatiques épicés.

L'Alsace est le pays du Gewürztraminer. Même les vins les plus simples exhalent un tourbillon d'épices aromatiques, alors que les grands vins millésimés sont des vins à la personnalité très marquée, aussi bien en vin sec qu'en vin de dessert.

À cultiver ce cépage, d'autres pays semblent obtenir des résultats plus mitigés, et élaborent des vins tout juste sensibles et équilibrés, comme le Gewürz de Nouvelle-Zélande et le Traminer italien. Le Traminer allemand est plus floral. L'Alsace domine en tous points.

Aussi connu sous le nom de *Traminer.*

🍷 Terme œnologique | **Vieilles vignes**

Les vins arborant «vieilles vignes» sur leur étiquette sont très prisés. **Vieilles vignes** est synonyme d'un vin rare et convoité, aux arômes plus concentrés, d'un coût plus élevé. En effet, les vieilles vignes sont une merveille et permettent d'élaborer des vins aux arômes plus intenses.

Plusieurs vignerons arrachent les ceps de vigne de plus de 25 ans, parce qu'alors, leur rendement commence à chuter. Des vignes de 80 ou 100 ans, voire 60, sont considérées comme vieilles. L'Australie en a quelques-unes, ainsi que la Californie. Les vignes de 40 ans sont d'un âge certain, celles de 30 sont encore jeunes. Il n'existe encore aucune définition reconnue de «vieilles vignes». Cette expression, utilisée en général à bon escient, est malheureusement de plus en plus galvaudée.

Les vignes de cent ans d'âge sont entretenues et chéries par des producteurs soucieux de la qualité.

Le chardonnay

Ce cépage blanc, favori à travers le monde, permet l'élaboration de vins généreux, avec des arômes de citron et de beurre d'emblée charmeurs. Le Chardonnay nourrit d'évidentes affinités avec le chêne, et les styles de vins vont de blanc nerveux et non boisé au caractère plutôt neutre à blanc fortement boisé avec des arômes percutants de beurre frais, de fruits tropicaux et de caramel en passant par le blanc légèrement boisé marqué par des nuances de noisette et de flocons d'avoine.

Le lieu de production On trouve du chardonnay partout dans le monde. Il est originaire de la Bourgogne. On y produit des vins exquis et élégants, possédant une riche saveur de noisette bien qu'ils soient tout à fait secs. À Chablis, dans le nord de la Bourgogne, le Chardonnay possède une acidité et une minéralité qui peuvent ou non être assorties d'une rondeur boisée, dépendant des préférences du producteur.

Le style de vins du Nouveau Monde est originaire d'Australie et de Californie: leurs caractéristiques prédominantes sont de la somptuosité et des saveurs d'ananas et de boisé. Les vins de la Nouvelle-Zélande arborent soit des arômes fruités, soit une saveur surprenante de noisette. Ceux du Chili sont fruités. La qualité des vins d'Afrique du Sud varie, mais ils peuvent être excellents. En Europe, les styles de vins du Nouveau Monde proviennent du sud de la France, d'Italie et d'Espagne.

Les laisser vieillir ou les déguster? La plupart des vins issus du chardonnay peuvent être bus jeunes, mais les meilleurs vins de France, d'Australie et de Californie doivent vieillir en bouteille pendant environ cinq ans.

Le choix des connaisseurs De tous les grands crus de Bourgogne excessivement chers, le Montrachet est le fin du fin. Les grands Chardonnay de Californie se vendent à peu près au même prix.

Meilleur rapport qualité-prix Les vins économiques du Chili et de l'Australie.

Le Chardonnay et les mets Les Chardonnays modernes s'allient avec presque tout. Ils sont merveilleux avec le poisson, qu'il soit légèrement grillé ou nappé d'une riche sauce au beurre. Plus riche est la sauce, plus l'arôme boisé du vin ressortira.

Le climat froid de la Santa Maria Valley permet au vignoble Bien Nacido de produire quelques-uns des meilleurs Chardonnay de Californie.

Le muscat

Le muscat est le seul cépage qui permette d'élaborer un vin délicieux ayant l'arôme du raisin, dans une multitude de styles. Les Muscats, vins de liqueur riches et doux, ou secs et floraux, ou encore d'une rare exubérance, ont tous en commun un arôme séducteur de raisins secs. Souvent, les muscats intensément doux exhalent en plus une note de zeste d'orange.

Le plus sombre et le plus liquoreux, le Rutherglen du nord-est de l'État de Victoria, en Australie, est une merveille pour ceux qui apprécient les Muscats parfumés, liquoreux, à arôme de raisins secs. Les Muscats dorés, doux, également liquoreux, proviennent du sud de la France (de Beaumes-de-Venise, Frontignan, Rivesaltes et autres villages) et présentent de délicates odeurs d'oranges et de raisins secs, avec une touche de pétales de rose; les meilleurs ont une grande élégance. Le Moscatel de Valencia, en Espagne, est plus grossier, mais néanmoins goûteux et meilleur marché.

L'Alsace est le paradis du Muscat sec, quoique l'Australie et le Portugal en élaborent quelques-uns. L'Asti, d'Italie, léger, doux, avec un délicieux arôme de raisins secs, ajoute à tout cela une touche d'effervescence.

Aussi connu sous le nom de muscat blanc à petits grains, muscat de Frontignan ou, en Australie, brown muscat. Les Italiens l'appellent moscato. Le muscat d'Alexandrie et le muscadelle, moins affriolants, sont des raisins apparentés.

Ne pas confondre avec le Muscadet, un vin blanc très sec de la vallée de la Loire.

Le pinot gris

L'intensité caractérise le Pinot gris. Ce vin blanc peut aller de très sec à riche et épicé. Une pointe de miel, parfois quasi imperceptible, est le lien commun entre tous les vins issus du cépage du même nom.

Les vins blancs secs, riches, à arômes de miel et de fumé qui proviennent d'Alsace, montrent le pinot gris sous son aspect le plus mordant. En Oregon, aux États-Unis, ces vins

Une toile de fond qui représente les vendanges tardives d'automne en Alsace (France). Les raisins ultra-mûrs permettront d'élaborer des vins riches et doux.

LES ASSEMBLAGES CLASSIQUES

L'approche moderne voulant que l'on étiquette les vins selon le nom de la variété de raisin a accru la popularité des vins variétaux simples. Le Cabernet-Sauvignon, le Merlot, le Sauvignon blanc et le Chardonnay ont tous le mérite d'avoir des saveurs allant de douces à excellentes. Cependant, plusieurs des saveurs classiques que l'on retrouve en France et dans les autres pays vinicoles européens sont basées sur des assemblages de deux ou plusieurs variétés de vins.

Le cabernet-sauvignon est peut-être le raisin que l'on rencontre le plus souvent dans les Bordeaux rouges, mais si ces vins n'étaient élaborés qu'à partir de Cabernet, la plupart seraient intolérablement austères. L'ajout de merlot et d'autres sortes de raisins adoucissent les vins et leur confèrent des saveurs très intéressantes.

Il se produit la même chose avec les Bordeaux blancs. Le sémillon et le sauvignon blanc sont souvent meilleurs assemblés que seuls, et le Muscadelle (apparenté au Muscat) ajoute une saveur capiteuse aux vins doux. Le Champagne, le Rioja, le Chianti et le Porto sont tous (du moins pour la plupart) des vins assemblés, et une bouteille de Châteauneuf-du-Pape peut être élaborée à partir d'un mélange pouvant aller jusqu'à 13 différentes variétés de raisins.

On imite souvent les assemblages européens dans les nouveaux pays producteurs de vins, mais de nouveaux mélanges se sont aussi établis. L'Australie, en particulier, a élaboré un Chardonnay classique moderne avec du Semillon, et un Cabernet-Sauvignon avec du Shiraz.

sont légers, mordants et épicés. L'Europe de l'Est élabore des vins exceptionnellement secs ou demi-secs et épicés.

En Allemagne, ce cépage, appelé ruländer, pousse dans les vignobles qui se spécialisent dans les vins doux. Les Grauburgunder, vins secs allemands vieillis dans des fûts de chêne, sont mordants et plus excitants. La plupart des vins relativement neutres proviennent d'Italie. Néanmoins, un très bon Pinot Grigio italien affiche des arômes de fleurs et de miel.

Aussi connu sous le nom de pinot grigio en Italie, tokay-pinot gris en Alsace, ruländer (si vin doux) ou grauburgunder (si vin sec) en Allemagne, malvoisie en Suisse.

Ne pas confondre avec les autres pinots: le pinot noir, le pinot blanc et le pinot meunier.

Le riesling

Ce cépage n'est pas aimé de tous, mais il possède une indéniable finesse. Les vins qui en sont issus affichent une acidité distinctive, pénétrante et surprenante. Ils vont des vins très secs, saisissants, aux vins doux et onctueux, avec des arômes qui varient de la pomme verte au citron vert et au gingembre, à la pêche et au miel, en passant par le silex et l'ardoise. Il développe un arôme intéressant qui évoque le pétrole avec l'âge.

Le Liebfraumilch est un vin allemand différent du Riesling; il est simple, doux dès qu'on l'a en bouche, et contient rarement du riesling. Le riesling est le type de cépage sur lequel reposent les plus grands vins d'Allemagne. Dans la région de la Moselle, la plupart des Rieslings sont légers, floraux, avec des notes d'ardoise. Les Rieslings du Rheingau sont en général plus riches, plus fruités et épicés. Les vins provenant de ces deux régions présentent un titre alcoométrique très bas. Ils doivent vieillir en bouteille pendant quelques années avant que leurs arômes se soient entièrement développés.

De l'autre côté de la frontière, en Alsace, le Riesling est plus sec, plus alcoolisé et plus épicé. Le Riesling australien est encore différent. Avec l'âge, il acquiert un bon titre alcoométrique, et son arôme vivifiant de citron vert cède peu à peu la place à une bonne saveur grillée.

Les autres pays, y compris la Nouvelle-Zélande, l'Afrique du Sud et les États-Unis, élaborent quelques Rieslings décents, mais l'Allemagne, l'Alsace et l'Australie en ont défini le style.

Aussi connu sous le nom de johannisberger riesling, rhine riesling ou white riesling — et riesling renano en Italie.

Ne pas confondre avec le laski rizling, l'olasz rizling, le riesling italico ou le welschriesling.

Le sauvignon blanc   *Voir page 43.*

Le sémillon

Le sémillon est surtout cultivé dans deux régions clés, le Bordelais et l'Australie. Il existe sous deux styles complètement différents, l'un sec, l'autre doux, qui permettent de produire tous deux des vins d'une merveilleuse qualité.

On le cultive dans diverses régions d'Australie pour élaborer du vin sec, mais le semillon de la Hunter Valley est le plus réputé. Élaboré selon le style de vinification traditionnel de cette vallée, le vin n'est pas boisé. Lorsqu'il est jeune, il est neutre et léger, avec une petite pointe citronnée. Après dix ans d'âge, il surprend par son fruité de nectarine riche et glycériné. Mieux vaut le laisser vieillir avant de le déguster.

Le Semillon australien qui arbore des saveurs boisées est différent. Sec, avec des arômes de grillé et de citron, il se boit bien lorsqu'il est jeune, mais mérite, lui aussi, de vieillir quelques années. La plupart des Semillons australiens sont boisés, et certains sont assemblés avec du Chardonnay.

Dans le Bordelais, le Sémillon est en général assemblé avec du Sauvignon blanc, lui conférant une pointe rafraîchissante d'acidité. Les meilleurs vins secs, avec arômes de chêne, de crème et de nectarine, viennent de Pessac-Léognan et du Graves . Ils se bonifient en bouteille pendant plusieurs années.

Les vins doux sont différents. Les Sauternes, du Bordelais, sont le nec plus ultra. Ces vins, dorés et doux, élaborés à partir de raisins affectés par la pourriture noble, sont extraordinairement concentrés, avec des arômes de sucre d'orge et de pêche. En Californie, en Australie et en Nouvelle-Zélande, on produit en petites quantités des styles de vins semblables. De par leur méthode de production, ils ne seront jamais bon marché; leur prix reste quand même abordable.

Le viognier

Entêtant, exaltant, avec un parfum d'abricot et de fleurs printanières agitées par la brise, le Viognier est un vin sec aromatique tellement luxuriant qu'il en semble presque doux.

Le cépage n'était cultivé auparavant que dans quelques petites régions de la vallée du Rhône. Le viognier a gagné en popularité et pousse aujourd'hui dans tout le sud de la France, bien que jamais en grandes quantités, et permet d'élaborer des vins classiques de qualité supérieure, comme le Condrieu et le Château-Grillet du Rhône, à des prix abordables.

La Californie et l'Australie, voire l'Amérique du Sud, sont en train de l'expérimenter. Les résultats varient, mais vont de nettement prometteurs à très bons. Le Viognier devrait être bu jeune et frais: son parfum s'étiole rapidement.

Le sauvignon blanc

Cépage blanc classique, dont on tire la quintessence des styles de vins vifs et fringants: un vin exubérant, avec des arômes et des saveurs d'herbe coupée, de buis, de groseille à maquereau et d'asperge.

Lieu de production La Nouvelle-Zélande, surtout dans la région de Marlborough, où l'on élabore un style devenu classique, des vins aux arômes prenants de buis et de groseille à maquereau.

Les Sauvignons blancs d'Australie égalent rarement ceux de Nouvelle-Zélande en ce qui a trait à la vivacité. Les vins du Chili provenant de la région de Casablanca libèrent des saveurs maigres, bien qu'assez mordantes. L'Afrique du Sud élabore des Sauvignons blancs de plus en plus fiables. Les versions des États-Unis vieillissent parfois en fûts de chêne neufs, ce qui leur donne un arôme différent, qui se rapproche de la salade de fruits tropicaux.

L'aire de production la plus importante est la vallée de la Loire. Les vins y sont moins vifs que ceux de Nouvelle-Zélande, mais souvent plus complexes. Le Sancerre et le Pouilly-Fumé exhalent le mieux l'exubérance du sauvignon blanc; le Menetou-Salon, le Sauvignon de Touraine et le Vin de Pays du Jardin de France sont équivalents, mais meilleur marché.

Le sauvignon est aussi l'un des importants cépages du Bordelais. Ailleurs, en Europe, il permet d'élaborer des vins très savoureux en Espagne, particulièrement à Rueda, des vins plutôt neutres dans le nord de l'Italie et des vins légers en Autriche. Les versions d'Europe de l'Est varient, mais tendent à manquer de vivacité.

Le laisser vieillir ou le déguster? Mis à part quelques vins supérieurs, le Sauvignon blanc doit se boire très rapidement.

Le choix des connaisseurs Le Cloudy Bay de Nouvelle-Zélande est un vin culte qui disparaît dès qu'il est mis sur les tablettes.

Meilleur rapport qualité-prix L'Entre-Deux-Mers, dans le Bordelais, au bon goût vif et relevé.

Le Sauvignon et les mets Le Sauvignon se boit bien avec des mets épicés et des plats à base de tomate.

Aussi connu sous le nom de fumé blanc, en Californie et en Australie.

Ne pas confondre avec le cépage rouge cabernet-sauvignon.

Tout comme les vins qu'ils permettent de produire, les raisins sauvignon blanc éclatent d'arômes intenses au goût mordant.

Autres variétés de cépages

Il existe quantité de vins élaborés à partir de cépages moins connus. Les différents cépages dont le nom est suivi d'une ✪ sont les plus susceptibles de gagner en notoriété.

Albariño Cépage d'Espagne dont on tire un vin blanc rafraîchissant, avec du caractère, des arômes d'abricot, de pêche et de pamplemousse, et qui peut se vendre très cher. Ce cépage participe aussi à l'élaboration du Vinho Verde du Portugal.

Aligoté Cépage blanc qui pousse en Bourgogne et en Europe de l'Est, à la base de vins simples et mordants. Le Bouzeron-aligoté de Bourgogne est le meilleur.

Cabernet franc Un cousin du cabernet-sauvignon qui donne des vins aux arômes de terre, d'herbes et de cassis. Entre en assemblage dans l'élaboration des vins rouges du Bordelais, et presque toujours vinifié seul dans la vallée de la Loire.

Carignan Cépage rouge à fort rendement, largement répandu dans le sud de la France, vinifié en vins simples de consommation courante. Il peut donner naissance à des vins robustes et délicieusement épicés. La Californie en élève beaucoup.

Carmenère ✪ Cépage rouge du Chili permettant d'élaborer des vins merveilleusement épicés.

Cinsaut Cépage rouge du sud de la France, utilisé comme cépage complémentaire dans la production de vins frais et légers. Il pousse aussi en Afrique du Sud.

Colombard Cépage dont on tire un bon vin blanc de consommation courante, fruité et mordant, parfois avec des arômes de fruits tropicaux. On le trouve en grandes quantités dans le sud de la France, en Australie, en Californie et en Afrique du Sud.

Corvina Cépage servant de base au Valpolicella d'Italie, un vin rouge aigre-doux aux arômes marqués de cerise lorsqu'il est excellent.

Dolcetto Cépage d'Italie dont on tire des vins rouge violacé éclatant, pleins d'arômes fruités, avec une touche de cerise amère. À boire jeune.

Garganega Cépage blanc d'Italie entrant dans l'élaboration du fameux Soave, mais avec un arôme frais de pomme verte lorsqu'il est bon.

Malbec ✪ (aussi connu sous le nom de cot ou auxerrois) Le meilleur cépage rouge d'Argentine, qui offre des vins rouges moelleux et riches dans toutes les gammes de prix. Il sert de base au Cahors, ce vin du sud-ouest de la France, qui peut être charnu avec un arôme de prune mûre lorsqu'il est excellent.

Malvoisie Largement répandu en Italie, ce cépage produit des vins blancs secs odorants, des vins blancs doux aux arômes d'abricot et des vins rouges légers. On le cultive aussi en Espagne et au Portugal, où il participe à l'élaboration du Malmsey, un Madère.

Marsanne Variété de cépage blanc de la vallée du Rhône qui, lorsqu'il est excellent, permet d'élaborer des vins riches et odorants. La Goulburn Valley, en Australie, produit des vins corsés et miellés.

Melon de Bourgogne Cépage dont on tire le Muscadet, le vin blanc le plus simple du val de Loire.

Mourvèdre (ou mataro) Cépage rouge qui sert de base aux vins du sud de la vallée du Rhône. On le trouve aussi en Australie. Les vins élaborés peuvent être rudes et avoir des arômes de bonne terre fraîche mais, avec l'âge, ils évoluent vers le fumé et le cuir.

Müller-thurgau Largement répandu en Allemagne pour produire une quantité industrielle de vins blancs ordinaires, doux, avec des arômes de fleurs. Les mêmes types de vins sont élaborés en Europe de l'Est et en Nouvelle-Zélande. Ils peuvent être frais et fins dans le nord de l'Italie.

Muscadelle Cépage blanc parfumé utilisé pour fabriquer des vins doux dans le Bordelais et en Australie.

Palomino et **pedro ximénez** Cépages blancs d'où sont issus le Xérès et le Montilla-Moriles: le palomino pour les vins secs, le PX pour les doux.

Pinot blanc Permet l'élaboration d'un vin léger gouleyant. Lorsqu'il est excellent, il donne des vins d'Alsace crémeux, aux arômes de fleurs et de pomme, et de bons vins aussi en Italie du Nord.

Roussanne Cépage blanc de la vallée du Rhône, cousin du Marsanne, mais plus aromatique et plus élégant.

Tannat Cépage rouge robuste, épicé. Il est originaire de Madiran, en France, mais pousse bien aussi en Uruguay.

Torrontés ✪ Cépage de première qualité d'Argentine, produisant des vins hautement aromatiques.

Touriga nacional ✪ Cépage rouge avec beaucoup de couleur, de parfums et d'arômes de fruits, utilisé dans l'élaboration du Porto et des vins secs modernes du Portugal. L'intérêt pour ce cépage grandit dans tous les pays.

Trebbiano (ou ugni blanc) Cépage blanc permettant de produire de grandes quantités de vins italiens insipides. Les meilleurs sont bons, tout en restant neutres.

Verdelho ✪ Cépage avec lequel on élabore le Madère, un vin de liqueur. En Australie, il produit des vins blancs secs, riches, à arôme de citron vert.

Verdicchio Le meilleur des cépages blancs neutres d'Italie, dont est issu le vin du même nom.

Vermentino Cépage à la base d'un vin blanc de Sardaigne sec, léger et parfumé.

Vernaccia Cépage blanc permettant d'élaborer un vin italien équivalent au Xérès de Sardaigne et parfois, en Toscane, un vin doré, sec et savoureux.

Viura Le principal cépage blanc de Rioja, en Espagne, donnant des vins légers, à l'arôme frais de pomme lorsque vinifié seul, ou des vins plus riches et plus de garde lorsqu'il est assemblé avec du malvoisie.

Bref rappel: les cépages rouges

Barbera Cépage rouge italien vigoureux, vif, appétissant.

Cabernet-sauvignon Cépage rouge, arôme de cassis par excellence.

Gamay Cépage intensément fruité du Beaujolais.

Grenache Arôme de fraise mûre et d'épices, souvent en mélange.

Merlot Velouté, à arôme de prune; entre dans l'assemblage des Bordeaux rouges classiques.

Nebbiolo Cépage sévère et tannique du nord-ouest de l'Italie.

Pinot noir Cépage capricieux, excellent dans les vins rouges soyeux, élégants, au parfum obsédant.

Pinotage Cépage rouge robuste d'Afrique du Sud, que l'on adore ou que l'on déteste.

Sangiovese Cépage principal du Chianti, vin d'Italie appétissant, aigre-doux, avec des arômes de fruits rouges.

Syrah (ou shiraz) Épicé et réconfortant; pousse avec autant de succès dans la vallée du Rhône qu'en Australie.

Tempranillo Cépage espagnol aux arômes de fraise et de prune.

Zinfandel Cépage de Californie servant à élaborer des vins de toutes sortes. Meilleur pour les vins rouges épicés.

Bref rappel: les cépages blancs

Chardonnay Arôme grillé de pêche. Cépage blanc classique à l'échelle internationale.

Chenin blanc Cépage blanc capricieux de la vallée de la Loire, aux arômes fruités et minéraux.

Gewürztraminer Cépage blanc unique, épicé et exotique, excellent en Alsace.

Muscat Vins secs et doux qui ont l'arôme de raisin.

Pinot gris Neutre en Italie, riche en Alsace, toujours avec une touche de miel.

Riesling L'aristocrate des raisins blancs, à l'arôme d'acier.

Sauvignon blanc Arôme soyeux de buis et de groseille à maquereau; on en trouve surtout en Nouvelle-Zélande, mais aussi dans la vallée de la Loire.

Sémillon Donne des vins blancs secs aux arômes citronnés et glycérinés, des vins dorés plus liquoreux, dans le Bordelais et en Australie (semillon).

Viognier Un blanc somptueux, abricoté, de la vallée du Rhône.

CI-DESSUS: *Les arômes fruités et veloutés d'un bon Beaujolais-Villages sortent du pressoir.* CI-CONTRE: *Le pinot noir et le chardonnay, des cépages qui font de la région du Bordelais, l'une des plus fameuses.*

Partie II

Apprécier le vin

Le vin fait partie de la vie de tous les jours, et ce n'est pas en le traitant avec le plus grand respect qu'il aura meilleur goût. Les rituels de l'ouverture d'une bouteille, du service du vin, de la dégustation, de l'achat et de la mise en réserve des bouteilles devraient en général se baser sur le bon sens. Néanmoins, ces rituels n'ont aucune signification s'ils ne permettent pas de se réjouir et de tirer le meilleur parti possible du vin. Chaque personne a sa façon propre de choisir un vin et de l'apprécier. Quel que soit l'endroit où l'on se trouve, ce n'est ni au sommelier ni au personnel de décider à votre place.

Ouvrir une bouteille

QUEL AGRÉABLE SON que celui d'un bouchon qui sort de son goulot! Il souligne le début d'une célébration et la fin d'une journée de travail. Le tire-bouchon est l'outil indispensable, et il y en a de toutes sortes. Bien choisi, il permettra de faire glisser le bouchon sans qu'il ne se brise, et d'éviter que des parcelles de liège flottent à la surface du vin.

Choisir un tire-bouchon

Un tire-bouchon doit pouvoir se manipuler aisément, être muni d'une vis spiralée et d'un système de levier bien adapté. Les grosses vis tendent à effriter les bouchons ou à rester coincées dedans. Un simple tire-bouchon sans levier peut demander un effort de titan pour tirer le bouchon hors du goulot.

Comment utiliser un tire-bouchon

Il s'agit tout d'abord de détacher la partie supérieure de la capsule en la coupant juste sous le goulot avec un couteau ou au coupe-capsule (certains tire-bouchons en ont un intégré au manche). Avant de poursuivre, il est bon d'essuyer le goulot de la bouteille, surtout s'il y a de la saleté ou de la moisissure.

Faites pénétrer la vis du tire-bouchon au centre du bouchon, à la verticale, en faisant tourner le tire-bouchon lentement et de façon régulière. Si la vis dévie, il vaut mieux recommencer plutôt que de risquer de briser le bouchon. Certains tire-bouchons transpercent le bouchon de part en part. D'autres s'arrêtent dès que l'extrémité de la vis sort à la base du bouchon.

Comment ouvrir une bouteille de champagne ou de vin mousseux

La pression dans la bouteille fait le travail; il reste à contrôler le bouchon, afin que le vin ne jaillisse pas violemment de la bouteille sous forme de mousse et que l'on se retrouve avec une moitié de bouteille dont le contenu perd rapidement de son effervescence.

Il est nécessaire de retirer au préalable le papier d'aluminium pour découvrir le muselet de métal qui retient le bouchon. L'étape suivante consiste à maintenir le bouchon en place avec le pouce et à enlever le muselet. Le bouchon peut alors être expulsé à tout moment. Il faut avoir soin de pointer la bouteille dans une direction où personne ne se trouve, ni aucun objet à risque.

Le bouchon se saisit d'une main, la bouteille de l'autre. Il s'agit maintenant de faire tourner lentement la bouteille dans un sens et le bouchon dans l'autre afin de faire glisser doucement le bouchon. Avant de verser le vin, tenir la bouteille à un angle de 45 degrés pendant quelques instants pour éviter le jaillissement de la mousse. On remarquera moins de pression à l'ouverture d'une bouteille froide qu'à celle d'une bouteille chambrée.

Si le bouchon se brise…

Pour retirer un fragment de bouchon coincé dans le goulot d'une bouteille, il s'agit de faire pénétrer la vis du tire-bouchon à un angle le plus aigu possible, puis de le faire sortir doucement, en exerçant une pression contre le goulot. Si ça ne va pas, poussez le bouchon à l'intérieur de la bouteille. Des petits morceaux de liège flotteront à la surface du vin, mais le vin lui-même n'en souffrira pas.

Si le bouchon d'un vin effervescent se brise dans le goulot, la seule solution est de le retirer à l'aide d'un tire-bouchon, avec beaucoup de précautions, en essayant de relâcher lentement le gaz pressurisé dans la bouteille.

BOÎTES, CARTONS ET CANETTES

Les **viniers munis d'un fausset** sont une très bonne idée, surtout si vous ne buvez qu'un verre ou deux par jour. La technologie est au point; le problème réside dans le choix limité et dans la piètre qualité du vin offert.

Les **cartons**, comme ceux utilisés pour le lait sont efficaces mais peu pratiques à ouvrir et, encore une fois, le choix offert n'est guère excitant. Pour ce qui est des **canettes**, n'y pensez même pas.

Le **Screwpull continu** est d'une conception très simple et astucieuse. Son efficacité repose sur la grande qualité de sa vis. Le long manche procure une force de levier telle que, sans effort à fournir, l'extraction du bouchon, même le plus résistant, se fait à coup sûr. Le couteau coupe-capsule est un peu difficile à manipuler

Le concept le plus décevant est le **tire-bouchon papillon**, pourtant très répandu. Non seulement la vis est épaisse et brise les bouchons, mais les bras de levier ne sont guère efficaces et permettent rarement de tirer un bouchon hors du goulot d'un seul coup.

Le **couteau-sommelier** a l'avantage de se replier comme un canif, mais son utilisation demande un peu d'expérience. Très utile lors de pique-niques improvisés. Le modèle ci-dessous comporte un coupe-capsule intégré.

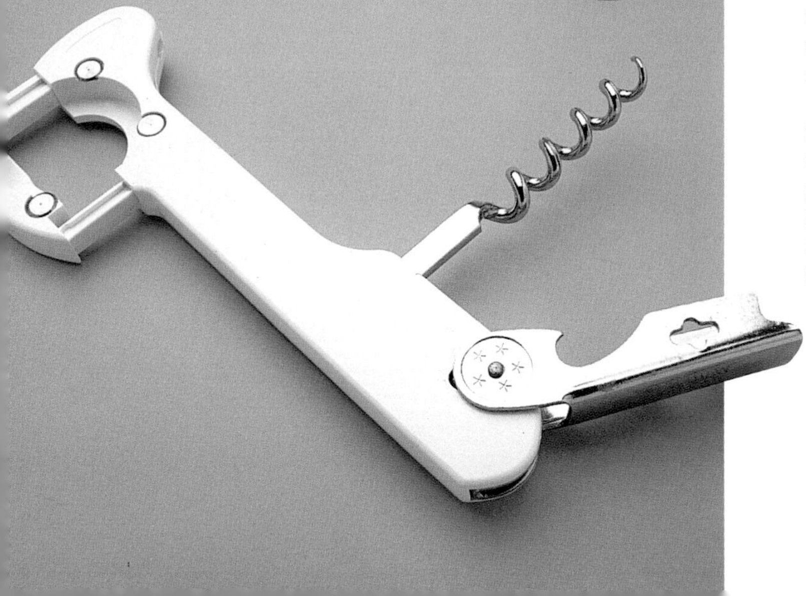

Conseils d'expert
Bouchons de liège ou autres bouchons

Pour sceller une bouteille de vin, les seules exigences sont que le bouchon soit hygiénique, hermétique, de longue durée et puisse être retiré. Le **bouchon de liège** a fait ses preuves, mais il reste sujet à des infections et à l'effritement. Les solutions de rechange modernes manquent peut-être de cachet, mais, souvent, protègent mieux le vin.

Les **bouchons en plastique**, modelés sur les bouchons traditionnels, sont maintenant d'utilisation courante pour les vins de tous les jours. Certains producteurs les utilisent même pour des vins de haute qualité. Un simple **bouchon à vis** est aussi efficace: seul le snobisme empêche d'en répandre l'usage.

Servir le vin

POUR BIEN DÉGUSTER le vin, en apprécier tous les arômes et les saveurs, et admirer sa robe et sa texture, il est nécessaire de choisir des verres appropriés.

Les verres

Le verre à vin idéal, d'un verre fin transparent, est en forme de tulipe évasée, quelle que soit sa taille. Un verre se remplit à demi pour que les arômes puissent se libérer. On sert le Champagne ou mousseux dans un verre étroit et élancé, propice à la formation de la mousse et à un développement plus long des bulles.

Les verres colorés masquent la robe du vin, les verres trop évasés dissipent les arômes plutôt que de les concentrer, et les verres trop lourds ne sont pas agréables à manipuler.

Les résidus de savon à vaisselle ou de graisse peuvent affecter la saveur de tout vin et atténuer le chapelet de bulles d'un Champagne ou d'un mousseux. Il est nécessaire de bien rincer les verres et de les laisser sécher à l'air libre, ou de les essuyer avec un linge non pelucheux uniquement réservé à cet usage. L'idéal est de laver les verres à l'eau extrêmement chaude, sans détergent. Les verres se rangent à la verticale pour qu'ils ne captent pas d'odeurs.

Comment décanter le vin

Il y a trois raisons pour lesquelles on doit décanter un vin: pour séparer le vin de la lie, pour laisser le vin respirer ou pour le présenter sous une forme plus agréable. Pour ce faire, un entonnoir muni d'un filtre peut être utilisé. Néanmoins, il est possible de verser avec précaution le vin dans une carafe. Le vin décanté peut éventuellement être reversé dans sa bouteille d'origine pour le service.

Une bouteille de vin rouge vieux qui contient un dépôt demande à être manipulée avec soin. La bouteille doit être gardée debout pendant un jour ou deux afin que la lie se dépose au fond. Le vin peut être servi directement de la bouteille, en le versant délicatement, mais il est plus sûr de le décanter. Une source de lumière, une bougie par exemple, peut être utilisée pour éclairer le goulot de la bouteille et surveiller le glissement du dépôt. Il suffit de verser le vin à un rythme régulier et d'arrêter lorsque la lie arrive au niveau du goulot.

Laisser respirer le vin

La plupart des vins n'ont pas besoin d'être ouverts à l'avance pour respirer. Quelques vins fins — les Bordeaux rouges et les vins rouges italiens de haute qualité, les meilleurs Syrah et Shiraz, et quelques autres — peuvent en bénéficier, mais presque toutes les bouteilles de moindre qualité et celles de vin blanc peuvent tout simplement être ouvertes et bues. Il n'existe pas de règles à ce sujet; seule l'expérience compte.

On laisse le vin respirer parce que le contact avec l'oxygène de l'air rend ses saveurs plus accessibles. D'un autre côté, un vin resté trop longtemps en contact avec l'air risque de

---

LA TEMPÉRATURE APPROPRIÉE D'UN VIN

Le vin devrait être à une bonne température pour que ses arômes se dégagent, et suffisamment frais... pour être rafraîchissant. Un vin de bonne qualité se boira plus chambré qu'un vin de qualité inférieure. Mieux vaut servir un vin trop frais, qui peut être réchauffé entre les mains, que trop chaud. Dans ce dernier cas, les arômes se perdent.

chaud
Aucun vin n'a bon goût au-dessus de la température ambiante, c'est-à-dire environ 20 °C.

température ambiante
Vins rouges intenses à arôme de cassis et d'épices; chaleureux; plus corsés et appétissants; aigres-doux; vins de liqueur réconfortants.

plus de 20 °C   de 17 ° à 20 °C

Une décantation soigneuse n'est nécessaire que lorsque le vin contient de la lie. Arrêtez de verser le vin lorsque le dépôt atteint le goulot de la bouteille.

Conseils d'expert
Astuces pour avoir rapidement un vin à bonne température

Pour faire refroidir une bouteille de vin au réfrigérateur, il faut de deux à quatre heures. La façon la plus rapide consiste à immerger la bouteille dans un seau rempli de **glaçons** et d'**eau**. Les glaçons seuls sont moins efficaces. Ajoutez du **sel** à l'eau pour obtenir des résultats encore plus rapides. Les vins se refroidissent assez rapidement au congélateur, mais une bouteille oubliée explosera…

Si un vin est trop froid, la meilleure chose à faire est de le servir, puis de garder le verre entre ses mains pendant une minute ou deux pour le réchauffer. Ne jamais utiliser de sources de chaleur trop fortes.

s'éventer à cause d'une oxydation excessive.

Pour planifier la dégustation d'un vin rouge, il faut ouvrir la bouteille environ une heure avant le service. Ainsi, le vin ne souffrira pas d'une oxydation excessive et pourra même se bonifier. Prenez garde de ne pas ouvrir trop tôt d'excellents vins. De très vieux vins peuvent perdre tous leurs arômes s'ils sont exposés à l'air libre trop longtemps.

Le fait de déboucher tout simplement la bouteille et de la laisser reposer aura peu ou pas d'effet, seule une petite surface étant exposée à l'air. Pour plus de résultats, on peut verser un peu de vin, ou alors le décanter, ce qui l'exposera davantage à l'air. Si la bouteille vient d'être débouchée et le vin servi, il suffit de faire tourner le précieux liquide dans le verre.

Une bouteille entamée

Un fond de bouteille se garde plusieurs jours sans perdre beaucoup d'arômes. Il suffit de garder le vin à l'abri de l'oxydation, c'est-à-dire de remettre le bouchon et de garder la bouteille au réfrigérateur. Certains petits appareils permettent de créer un vide partiel dans la bouteille ou d'y injecter un gaz inerte dense.

Des bouchons spéciaux permettent de boucher une bouteille de vin effervescent, mais un bouchon de liège est aussi efficace. Il s'agit de garder le vin bien au frais. Deux fonds de bouteille d'un même vin se transvasent dans une même bouteille. Plus la bouteille est pleine, plus le vin se conservera, ce qui est surtout le cas pour les vins rouges et les vins effervescents.

températures fraîches

Vins rouges soyeux, à arôme de fraise.

frais

Vins rouges fruités, appétissants. Rouges aigres-doux, soyeux, fortifiés, et vins doux, dorés.

froids

Vins blancs intenses, au goût de noisette, grillés et aromatiques.

frappés

Vins blancs vifs, soyeux, effervescents; rosés délicats; vins de liqueur les plus légers et les plus soyeux.

bien réfrigérés

Vins blancs extra-secs; vins effervescents bon marché.

de 15° à 17°C   de 12° à 15°C   de 8° à 10°C   de 6° à 8°C   de 4° à 6°C

Comment déguster un vin

PLUS ON DÉGUSTE DE VINS, plus on devient sensible aux arômes et plus les préférences se développent. Le plus important est d'être capable d'appliquer les connaissances acquises pour choisir un vin.

Tous ces rituels attachés à la dégustation du vin ont leur raison d'être. Un grand nombre d'arômes et de saveurs se mêlent dans un verre et, pour en profiter pleinement, on ne peut boire un verre de vin comme on le ferait d'une bière ou d'une boisson gazeuse.

Boire un vin tout en le dégustant attentivement est la meilleure façon de s'y retrouver à travers le dédale des cépages, des régions vinicoles et des styles de vins. Une gorgée bien appréciée reste en mémoire plus longtemps que ce que nous décrit un guide. L'art de la dégustation s'adresse aux professionnels, mais aussi à quiconque désire vraiment apprécier le vin.

Lire l'étiquette

L'étiquette vous donne beaucoup d'informations au sujet du vin. En général, elle précise l'année des vendanges, la région, la classification du vin (par exemple, en France, AC pour vin de pays — voir page 70), le nom et l'adresse du producteur, et le titre alcoométrique. Certaines indiquent les cépages utilisés. Aujourd'hui, un grand nombre de bouteilles, surtout celles achetées dans les supermarchés, portent aussi une contre-étiquette qui indique si le vin est doux ou sec, son temps de conservation et avec quels mets le servir.

Observer le vin

À chaque vin son type de verre. Il faut toujours le remplir au tiers. Un grand verre en forme de tulipe, large à la base, plus étroit au col, aide à concentrer les arômes. Le verre doit être

Le vin change de couleur en vieillissant. Le vin blanc est à son plus pâle quand il est jeune, et jaunit graduellement. Le vin rouge, par contre, a sa couleur la plus intense quand il est jeune et pâlit jusqu'au rouge brique en vieillissant.

JEUNE   MATURE   JEUNE   MATURE

approché d'un arrière-plan blanc afin qu'on puisse apprécier la gamme de couleurs du vin, du centre au pourtour. En général, les vins provenant de cépages opulents des pays chauds ont une robe plus sombre.

Sentir le vin

Un tourbillon vigoureux du vin dans le verre permet aux arômes de se dégager. Placez votre nez juste dans l'encolure du verre et inspirez régulièrement et doucement, comme si vous sentiez une fleur.

Ces quelques premières secondes révéleront tous les arômes familiers et ceux qui le sont moins. Ils peuvent être interprétés à votre goût, comme des arômes de miel, de chocolat, de pomme ou de framboise. À chacun sa façon d'interpréter ces arômes — c'est l'un des plaisirs du vin. Si on interprète correctement les arômes et les parfums des vins, il est possible de se bâtir une banque de données de termes relatifs aux vins qui permet, par la suite, de distinguer les vins.

VOCABULAIRE DE BASE DE LA DÉGUSTATION

Le **nez** est l'odeur d'un vin. D'autres termes sont utilisés: **arômes** pour les vins jeunes, **bouquet** pour les vins matures.

Le **palais** est le goût du vin en bouche.

La **douceur**, ou son manque, est la première sensation que procure le vin au contact du bout de la langue. La douceur doit toujours être équilibrée par l'acidité, sinon le vin sera doucereux.

L'**acidité** rend le vin mordant. Cette sensation se détecte sur les côtés de la langue. Elle doit être équilibrée par de la douceur, de l'alcool ou du corps, sinon le vin sera trop astringent et déplaisant.

Le **tanin** est la substance qui, dans les vins rouges, assèche la langue et contribue au corps et à la densité du vin. Le tanin doit être équilibré par des arômes de fruits et de l'acidité pour que le vin gagne en rondeur.

L'**alcool** se retrouve dans tous les vins, mais les titres varient, de 8% pour un Riesling léger d'Allemagne à environ 14,5% pour un Shiraz riche et mûr. Les vins de liqueur ont un titre alcoométrique plus élevé. Un haut taux d'alcool rend le vin plus rond en bouche.

Les **arômes fruités** proviennent du cépage, bien que le vin dégage rarement une saveur de raisin. Les arômes du vin se rapprochent plus de ceux de la prune, de la fraise, de la groseille à maquereau ou d'autres fruits, voire des noix, des grains de café, des feuilles vertes ou des biscuits.

Le **corps** correspond à l'impression d'épaisseur et de volume procurée par le vin en bouche. C'est ce à quoi on se réfère en parlant de vin très corsé, moyennement corsé ou peu corsé.

La **longueur** est le dernier facteur à considérer. Un vin d'une bonne longueur chatouille toutes les parties du palais et laisse un goût qui persiste une fois le vin avalé ou recraché.

L'**équilibre** est la relation entre tous ces éléments: la douceur, l'acidité, les arômes de fruits, le corps, le tanin et l'alcool. On sentira au goût qu'un vin est mal équilibré… comme s'il lui manquait quelque chose.

Au tout début, il peut sembler difficile de nommer les arômes dégagés par le vin, ou parfois, il y en a trop pour qu'on puisse les reconnaître, ou d'autres fois, le vin semble ne pas avoir d'arômes. Il est frustrant lorsqu'une odeur à moitié dépistée échappe à la détection. Et l'odorat se fatigue vite. Il est souvent nécessaire de prendre quelques secondes de repos avant de retourner au vin. Pour ne rien oublier et pour faire resurgir les arômes plusieurs semaines plus tard, ce serait une bonne idée de prendre des notes.

Une gorgée de vin

Il est maintenant temps de prendre une gorgée de vin pour le déguster, gorgée qui doit emplir la bouche au tiers. La langue ne peut détecter que les éléments de saveurs vraiment élémentaires: le sucré à son extrémité, l'acide sur les côtés (le salé aussi) et l'amer à l'arrière. Le vrai travail de dégustation se passe à l'arrière-gorge, dans une cavité où sont en contact les sens du goût et de l'odorat. Pour goûter le vin, il s'agit en effet que les arômes soient perçus par ces deux sens.

Évaluation du vin

Après avoir enregistré les premières notes d'acidité ou de sucré détectées par la langue, il faut aspirer un peu d'air entre les lèvres afin que les arômes se développent, que l'on puisse les évaluer et ainsi saisir la personnalité du vin. L'autre étape consiste à «mâcher» doucement le vin comme s'il s'agissait d'un aliment, le laissant imprégner la langue, les dents, les joues et les gencives.

Il est bon d'inscrire les premières impressions que laisse le vin en bouche, puis le goût qui se développe après un moment. Certaines saveurs sont évidentes, d'autres plus subtiles, à la limite d'être captées. Il faut laisser les saveurs et les arômes venir à nous, sans vouloir à tout prix les détecter. La tension, le stress et l'anxiété rendent la dégustation plus difficile.

Les arômes et les saveurs de cassis et de menthe sont typiques du Cabernet-Sauvignon provenant de Coonawarra, dans le sud de l'Australie.

Avaler ou recracher

Pourquoi les dégustateurs professionnels recrachent-ils le vin après l'avoir goûté? Tout simplement pour rester sobre. Si vous avez l'intention de boire le vin, il n'y a aucune raison de le recracher.

Pour goûter des vins en professionnel ou lorsqu'on visite des caves vinicoles, recracher le vin fait partie du rituel.

Nul besoin d'un crachoir spécial: un simple seau posé sur quelques feuilles de journal suffit. Après avoir avalé ou recraché le vin, il est bon de prendre note de tout goût qui reste en bouche.

Dégustation à l'aveugle

Il est très facile de détecter certains arômes si l'on s'attend à les retrouver. Et lire une étiquette peut influer sur l'opinion que l'on se fait d'un vin. D'où le rôle de la dégustation à l'aveugle, spécialité des dégustateurs professionnels. Il suffit d'être entre amis, de masquer soigneusement l'étiquette de toutes les bouteilles et de déguster les vins. Cela permet d'apprendre beaucoup et de mettre à l'épreuve ses propres sens du goût et de l'odorat.

Conseils d'expert
Développer ses aptitudes à déguster un vin

Percevoir les odeurs Il faut vraiment faire un effort pour établir un lien entre ce que l'on perçoit d'un vin et les odeurs rencontrées dans la vie quotidienne pour ensuite les nommer. Cela permet de se doter de son propre vocabulaire du goût et de distinguer les odeurs les plus subtiles du vin.

Avoir en tête les saveurs de fruits Les arômes et les saveurs de fruits sont courants dans le vin. Il est important de savoir identifier, pour les vins rouges, les arômes de mûre, de cassis, de cerise, de framboise, de fraise et de prune, et pour les vins blancs, ceux d'agrumes, de pomme, d'abricot, de pêche et de fruits tropicaux.

Prendre des notes Noter le nom des vins dégustés et ce que l'on en pense. Deux ou trois mots clés suffisent.

La dégustation, une habitude à prendre Dès qu'un verre de vin est à notre portée, il faut prendre le temps de l'observer, de le sentir, de le déguster. Si le vin accompagne un mets, remarquez de quelle façon le vin et les aliments réagissent ensemble. Permettent-ils aux saveurs de se développer, d'un côté comme de l'autre, ou l'un des deux estompe-t-il l'autre?

Organiser ses propres dégustations Avec des amis, essayer de comparer certains vins. Commencer par rechercher les différences entre deux ou trois variétés de cépages. Un amateur qui acquiert de l'expérience tâchera de comparer plusieurs vins issus d'un même cépage, de goûter un certain nombre de vins de la même sorte ou de déguster un même vin élaboré par différents producteurs d'une région précise.

Terme œnologique | 50 façons de décrire un vin

On peut décrire un vin de bien des façons. Les termes de dégustation ne sont pas un code secret entre dégustateurs professionnels; ils sont une façon de partager les perceptions quant aux caractéristiques d'un vin. Les saveurs fruitées peuvent être directement comparées aux fruits connus. Il en est de même pour le miel et les fruits à écale. Les termes qui suivent sont moins évidents, mais très utiles.

Agressif Vin acide qui mord les gencives ou dessèche l'arrière-gorge à cause d'un excès de tanins.

Amorphe Faible, manquant d'acidité.

Aromatique Vin particulièrement exubérant ou *épicé*. Provient en général d'une variété de cépage aromatique, comme le Gewürztraminer.

Arôme de beurre Odeur et goût de beurre qui proviennent de la maturation du vin en fûts de chêne.

Astringent Vin dont les tanins provoquent le dessèchement des muqueuses de la bouche.

Boisé Arômes légèrement sucrés de vanille, saveur grillée et goût de beurre qu'un vin développe lors de la maturation en fûts de chêne.

Calcaire Goût sec qui évoque la craie, comme dans les vins *minéraux*, mais sur le mode mineur.

Charnu Vin ayant beaucoup de tanins et une forte saveur, sans être *agressif*.

Complexe Vin qui a plusieurs couches de saveurs les unes par-dessus les autres.

Confituré Vin rouge qui a des saveurs de confiture.

Corsé Vin qui laisse une impression d'épaisseur et de volume en bouche.

Croquant Vin blanc rafraîchissant, avec une bonne acidité.

Doux Vin avec un haut taux de sucre, mais aussi *riche* et *mûr*, qualités de certains arômes fruités dans plusieurs vins secs modernes.

Dur Vin rouge avec beaucoup de tanins, ou vin blanc avec trop d'acidité, mais entier et tenace plutôt qu'*agressif*. Un échelon au-dessous de *ferme*.

Épicé Parfums et saveurs courantes dans le Gewürztraminer; goûts de poivre, de cannelle ou de clou de girofle dans les vins rouges tels que le Shiraz australien. Les épices peuvent être le résultat d'une maturation en fûts de chêne.

Évident Vin ayant des saveurs distinctes facilement détectées.

Facile Arômes qui jaillissent du verre à défaut d'être subtils.

Ferme Vin bien équilibré, aux arômes bien définis; l'opposé, *amorphe*.

Frais Vin jeune, avec des saveurs vivantes de fruits et une bonne acidité.

Franc Vin exempt de défauts bactériens ou chimiques. Ou encore vin simple et rafraîchissant.

Goût d'acier Bonne acidité et vin ferme, austère sans être mince.

Gras Vin corsé, onctueux.

Grillé Saveurs de pain grillé et de beurre, résultat d'une maturation en fûts de chêne.

Herbacé Odeur et arôme d'herbes fraîchement coupées, de poivron, de groseille à maquereau ou de zeste de citron vert.

Imposant Vin corsé avec un peu de tout: des saveurs de fruits, de l'acidité, du tanin et de l'alcool.

Léger Faible en alcool, ou ayant peu de corps.

Maigre, mince, étroit Termes désignant un vin hautement acide et manquant de saveurs.

Minéral Notes de silex ou de craie. Courant dans les vins d'Allemagne et de la vallée de la Loire, en France.

Mou Faible en acidité; plat.

Mûr Vin provenant de raisins bien mûrs, avec de bonnes saveurs de fruits. Un manque de maturité des raisins peut donner des vins *verts*.

Net Vin dont toutes les saveurs sont bien définies.

Neutre Peu de saveurs distinctives.

Pénétrant Signifie en général une forte acidité. Mais les saveurs fruitées peuvent aussi être pénétrantes si elles sont particulièrement vibrantes.

Perlant Très légère effervescence causée par du gaz carbonique résiduel. Très rafraîchissant dans les vins blancs simples.

Pétrolé Odeur agréable qui ressemble à celle du pétrole et se développe dans les vins provenant du cépage riesling et qui ont vieilli.

Piquant Goût acide, avec des aspérités, comme celui d'une pomme non mûre.

Poussiéreux Vin sec, parfois *terreux*, goût que l'on retrouve parfois dans les vins rouges. Peut être attrayant s'il est combiné avec un bon arôme fruité.

Profond Vin subtil, *riche*; apparenté à *complexe*.

Puissant Vin avec beaucoup de tout, surtout beaucoup d'alcool.

Riche *Corsé*, plein de saveurs, très alcoolisé.

Rond Vin qui semble avoir des arômes satisfaisants et complets, sans gênantes aspérités.

Sec Pas du tout sucré.

Souple À la fois goûteux et fondu. Une description de la texture plus que de l'arôme.

Structuré «Beaucoup de structure» qualifie un vin avec un support acide et tannique bien développé, mais suffisamment fruité pour composer avec.

Tendre Vin sans tanins fermes ou sans acidité prononcée, le rendant facile à boire, gouleyant.

Terne Vin n'ayant pas de saveurs plaisantes bien définies. Souvent signe d'une longue exposition à l'oxygène de l'air.

Terreux Odeur et goût de terre humide. Peut faire l'attrait de vins simples.

Vert Peut signifier non mûr, donc péjoratif. Mais des arômes de feuilles vertes froissées sont courants dans les vins rouges provenant des climats froids. Et la verdeur alliée à des saveurs de groseille à maquereau ou de pomme vont de pair avec les saveurs fraîches et fringantes trouvées dans certains vins blancs.

Viandé Vin rouge lourd, avec des saveurs solides, croquantes.

Les défauts du vin

DE NOS JOURS, la vinification étant plus perfectionnée, les vins de qualité médiocre sont beaucoup plus rares. Il est possible d'identifier leurs défauts en se servant de la vue, de l'odorat et du goût, comme lors d'une dégustation.

La vue

Quelle que puisse être sa couleur, un vin doit être limpide et lumineux. Des vins troubles sont en général signe d'une dégradation bactérienne, ce qui est très rare de nos jours. Il ne faut pas confondre cela avec la lie: un vin rouge, avec l'âge, développe souvent des dépôts sombres, poudreux ou granuleux. Il suffit de garder la bouteille à la verticale pour que la lie se dépose au fond.

La robe des vins varie selon le cépage et le climat de la région de production. Si un vin blanc, habituellement pâle, a tourné au jaune ambré, ou si un vin rouge jeune a une teinte brunâtre, faites attention: le vin a pu s'oxyder, et son goût pourrait être terne et plat.

L'odorat

Les odeurs qui suivent sont toutes signes de problèmes:

Odeur de Xérès

Seul le Xérès devrait avoir cette odeur. Dans un vin non fortifié, elle peut indiquer son oxydation.

Odeur de vinaigre

Le vin est en train de tourner au vinaigre.

INESTHÉTIQUE MAIS NON FAUTIF

Des **fragments de bouchon** qui flottent à la surface du vin n'ont rien à voir avec un vin bouchonné. Ils sont inesthétiques, mais n'affectent pas la saveur du vin.

Des **cristaux blancs** qui se forment souvent sur le bouchon et au fond des bouteilles de vin blanc. Ces dépôts naturels, ou tartre, sont sans danger et n'altèrent pas le goût du vin.

La **lie**, ou dépôts qui se développent dans une bouteille de vin rouge ayant pris de l'âge, peut être éliminée par décantation.

Odeur d'œufs pourris

Cette horrible odeur d'hydrogène sulfuré peut se développer lors de la fermentation et est signe d'une piètre vinification.

Odeur de moisi

Vin bouchonné à cause d'un bouchon contaminé. Un peu de goût de bouchon peut ternir le goût du vin, sans le rendre imbuvable.

Les papilles gustatives

Le palais devrait normalement confirmer ce que l'odorat a saisi. Parfois, un défaut du vin sera plus senti que goûté, ou vice versa. Il faut donc se servir des deux sens conjugués pour juger des caractéristiques et de la qualité d'un vin.

Terme œnologique | **Le soufre**

Parfois, une bouteille de vin tout juste ouverte a une odeur de soufre. Cela provient de l'anhydride sulfureux, des antiseptiques et des antioxydants de toutes sortes utilisés dans presque tous les établissements vinicoles de par le monde. Ces produits sont ajoutés au vin lors de la mise en bouteille pour en assurer une bonne conservation. Avec le temps, l'anhydride sulfureux est absorbé par le vin, et on ne le goûte ni ne le sent plus. Un surplus se dissipera en général après quelques minutes, surtout si l'on décante le vin pour l'aérer.

Au restaurant

SI VOUS ÊTES INDÉCIS, n'ayez crainte de demander conseil, quel que soit le type de restaurant. Un sommelier averti (personne qui a la charge des vins), à l'aide d'une carte des vins élaborée avec soin, se fera un plaisir de vous conseiller, et aura probablement quelques suggestions à vous faire en fonction des mets que vous aurez choisis.

Plusieurs restaurants, bien sûr, n'ont ni carte des vins sérieuse ni sommelier expérimenté. Si le millésime des bouteilles, le nom du producteur ou autres informations n'apparaissent pas sur la carte des vins, il sera difficile de choisir. Demandez alors à voir la bouteille. Au moins pourrez-vous ainsi vous faire une opinion.

La qualité d'une carte des vins ne se mesure pas à sa longueur. Elle peut très bien ne présenter que quelques vins bien choisis ou encore une sélection de vins provenant d'une région spécifique.

Commander du vin

Vous savez ce que vous allez manger, vous avez jeté un œil sur la carte des vins, avez décidé du prix que vous vouliez payer, mais vous ne connaissez pas les vins. Demandez conseil au sommelier en lui précisant les mets choisis, votre préférence pour du vin blanc ou du vin rouge, ainsi qu'un exemple de vin qui serait dans vos prix.

Vous fournissez ainsi au sommelier toutes les données dont il a besoin — les mets, le style de vin et l'échelle de prix — pour qu'il puisse vous faire une suggestion appropriée. Vous pourrez ensuite décider calmement du choix d'une bouteille. Ne craignez pas de demander conseil, vous y gagnerez!

Cependant, il est bon de faire un choix préliminaire avant de demander conseil: si vous n'aimez pas les suggestions qui vous sont faites, vous pouvez vous tourner vers votre premier choix.

Vérifiez l'étiquette de la bouteille que l'on vous apporte pour vous assurer qu'il s'agit bien du vin commandé et du bon millésime. S'il s'agit d'un millésime différent et que la bouteille ne vous plaît pas, il est toujours temps de choisir un autre vin.

Lorsque le sommelier verse le vin, sentez-le et goûtez-le afin de vérifier s'il est bon, non pas s'il vous plaît ou non. Prenez votre temps. Si vous suspectez quelque défaut, exprimez vos doutes, prenez une autre gorgée et demandez au sommelier de faire de même. Si le vin n'est pas bon, le sommelier devrait aussitôt reprendre la bouteille et la remplacer.

Tous les gens qui mangent souvent au restaurant ont une anecdote à raconter au sujet d'un vin ou d'un sommelier. Certains sommeliers refuseront d'accepter qu'un vin soit mauvais. Des clients entêtés insisteront pour faire changer une bouteille, alors que le vin est bon. S'il vous arrive une expérience désastreuse, inutile de réagir de façon agressive, la soirée serait gâchée. Adresser calmement une plainte au propriétaire du restaurant à la fin du repas aura plus d'effet. Et si le service est insatisfaisant, ne laissez pas de pourboire.

Les bons restaurants et ceux de bas de gamme

Un bon restaurant
- Donne beaucoup de détails sur sa carte des vins
- Offre des vins soigneusement choisis, qui vont avec les mets
- Remplace gracieusement une mauvaise bouteille
- Sert un bon vin maison et une intéressante sélection de vins au verre.

Un restaurant bas de gamme
- Ne donne aucune spécification au sujet des vins
- Discute du jugement du client s'il y a plainte
- A un personnel non informé et excédé
- Vous incite à commander les vins les plus chers.

Dans un bon restaurant, on aura le souci de servir le vin dans des verres adéquats.

Conseils d'expert

Les dix meilleures tactiques pour choisir un vin au restaurant

1. Essayez tout d'abord un verre de vin maison; cela vous laisse le temps de choisir une bouteille. S'il est bon, commandez du vin maison.

2. Demandez un verre d'eau pour étancher votre soif afin de mieux déguster le vin.

3. Discutez de votre choix avec le sommelier: il peut vous aider.

4. Si vous désirez commander deux bouteilles, ne choisissez pas une première bouteille hors de prix.

5. Ne vous préoccupez pas trop de savoir si le vin se mariera bien avec les mets commandés: les Cabernets-Sauvignons et les Merlots du Nouveau Monde sont des vins rouges passe-partout, tout comme le sont les Chardonnays et les Semillons du Nouveau Monde; les vins blancs d'Alsace s'accordent bien avec toute une variété de plats.

6. Si la carte des vins ne vous inspire pas, portez votre choix sur des vins d'Australie ou d'Amérique du Sud; en général, ils sont fiables et sont d'un bon rapport qualité-prix.

7. Osez choisir un vin des régions d'Italie, d'Espagne ou du Portugal; ces types de vin sont souvent ce qu'il y aura de meilleur.

8. Vérifiez la température de la bouteille que l'on vous sert. Si le vin est trop chaud, qu'il soit rouge ou blanc, demandez un seau à glace; s'il devient trop froid, sortez la bouteille du seau sans attendre que le garçon s'en occupe.

9. Assurez-vous que la bouteille est à portée de la main, et remplissez vous-même votre verre dès que vous le désirez.

10. Profitez bien de votre soirée et amusez-vous!

Heureux mariage des mets et des vins

UN BON VIN est un délice. Mais pour en tirer le meilleur parti, il faut le boire en bonne compagnie, pendant un bon repas. Comment donc choisir un vin qui se marie aux mets servis? Les plaisirs de la table tiennent à tellement de choses qu'il est préférable d'allier vin et nourriture plutôt que de vouloir associer les saveurs de façon scientifique. Si vous avez envie de boire du Champagne, ne laissez personne vous en empêcher, quoi que vous mangiez. Si l'ambiance, le temps qu'il fait ou les convives vous inspirent une bouteille en particulier, suivez votre instinct.

Principes de base

Le vin doit mettre les plats en valeur, et vice versa. Lorsque les principales caractéristiques du vin et des aliments sont en harmonie, les saveurs des deux s'en voient rehaussées. Parfois, un contraste bien analysé est aussi valable qu'un accord parfait. La plupart des combinaisons sont harmonieuses, quelques-unes sont fantastiques, mais si vin et mets ne se

marient pas, les saveurs de l'un comme de l'autre seront détruites, et le plaisir de la dégustation sera perdu.

Un petit nombre de règles permettent d'éviter un tel désastre. Un vin sec accompagnant un plat peu relevé aura un goût mince et acide. Une viande rouge ira très bien avec un vin rouge tannique, comme le Barolo d'Italie, le Dão ou le Bairrada du Portugal, ou un Bordeaux rouge. Il s'agit de prévoir des combinaisons qui permettent de rehausser les saveurs du vin et des mets. Vous trouverez certaines suggestions aux pages 61 et 62. Voici avant tout certains points à garder en mémoire:

Le **corps** Il faut allier les saveurs du vin et des mets, mais aussi le corps (ou poids) du vin et l'intensité des saveurs des mets. Un vin lourd, à fort titre alcoométrique, se mariera bien avec un plat consistant; un vin léger accompagnera bien les mets raffinés.

L'**acidité** L'acidité d'un mets devrait équilibrer celle du vin. Des saveurs très acides, comme celles de la tomate ou du citron, doivent s'allier à l'acidité du vin. Un vin acide, plein de saveurs, peut rehausser le goût d'un plat cuisiné avec de la crème ou de l'huile.

Le **sucré** Avec des desserts, un vin doux, tout au moins aussi doux que le dessert, est tout indiqué. Certains légumes savoureux, comme les carottes, les oignons et les panais, ont un goût légèrement sucré; pour les accompagner, un vin vraiment mûr et fruité serait l'idéal.

L'**âge**, la **maturité** Un vin mature aura développé un goût et des arômes complexes au fil des années. Pour en tirer le maximum, on le boira avec des mets simples, par exemple de la viande grillée ou rôtie.

Les **sauces** et les **assaisonnements** Il peut être plus important de marier le vin à une sauce riche ou à des assaisonnements épicés qu'au principal ingrédient.

La **saveur boisée** Un vin très boisé à la suite d'une maturation en fût de chêne peut éclipser un mets sans trop de saveurs.

LES PIRES ENNEMIS DU VIN

Les **artichauts**, les **asperges**, les **épinards**, le **hareng**, le **maquereau**, les **sauces piquantes**, les **vinaigrettes** et le **chocolat** peuvent tous amoindrir ou détruire les saveurs des vins. Quelques règles usuelles doivent être appliquées. Éviter les vins rouges très tanniques et leur préférer des vins jeunes et juteux. Choisir des vins blancs avec beaucoup d'arômes fruités et une fraîche acidité.

Avec le maquereau, essayer un Xérès fin sec, et avec le chocolat, un Muscat liquoreux, le mousseux italien Asti ou peut-être un Porto. Les assaisonnements vinaigrés ou les sauces piquantes ont besoin d'un vin qui équilibre leur acidité, un Sauvignon blanc ou un Riesling sec par exemple.

Les **œufs** peuvent être difficiles à marier avec le vin, surtout si ce dernier est boisé ou trop fruité. Le choix pourra se porter sur un Chardonnay léger, non élevé en fûts de chêne, un vin blanc neutre ou un vin rouge très léger, comme le Beaujolais.

Les vins rouges et les mets: quelques suggestions pour les types de vins décrits de la page 8 à la page 22.

	Vins rouges gouleyants, fruités	Vins rouges soyeux, à saveur de fraise	Vins rouges intenses, au goût de cassis	Vins rouges épicés, généreux	Vins rouges peu tanniques, alléchants, acidulés	Vins rouges tanniques, alléchants, acidulés
MARIAGE EXCELLENT	Viandes rouges rôties ou grillées	Viande rouge en sauce riche (bœuf bourguignon)	Viandes rouges rôties ou grillées (surtout l'agneau)	Steak au poivre	Pizza	Gibier en sauce
	Grillades sur le barbecue	Gibier à plumes rôti	Gibier	Saucisses	Lasagne	Plats en sauce avec fines herbes
	Poulet rôti ou frit	Viandes rouges rôties ou grillées	Canard et oie	Plats en sauce avec fines herbes	Mets à base de tomate	Viandes rouges rôties ou grillées
	Jambon	Poulet en sauce au vin rouge ou cuit à l'ail		Canard et oie	Spaghetti à la bolognaise	
	Rôti de porc		Poulet et dinde rôtis	Viandes rouges rôties ou grillées	Viandes froides et saucisson	
	Mets épicés	Poissons gras grillés (saumon ou thon)		Ragoût de gibier	Rôti de porc	
	Cuisine indienne et tex-mex		Rôti de bœuf froid	Grillades sur le barbecue	Mets avec ail et fines herbes	Poulet, ou dinde, farci et grillé
	Viandes froides et pâtés					
	Poisson grillé	Rôti de porc	Viande rouge en sauce riche	Mets indiens		
	Sauces crémeuses ou au fromage			Cuisine tex-mex	Viandes rouges rôties ou grillées	
	Spaghetti à la bolognaise et lasagne	Mets orientaux riches, légèrement épicés		Fines herbes et épices		
				Chile con carne		
	Pizza			Spaghetti à la bolognaise	Poisson grillé	
CORRECT	Mets à base de tomate			Saucisson		
				Poulet ou dinde farcis et rôtis		
ATTENTION: DÉSASTRE	Éviter les vins rouges avec les mets sucrés.	Perdent leur charme avec les mets trop épicés.	Écrasent le poisson, ont une saveur âpre avec les tomates et les mets épicés, et ne se marient pas avec le porc ou le poulet froids.	S'allient bien avec la nourriture en général, mais écrasent les mets délicats.	Aucun problème: ces vins vont vraiment avec tout.	Ne révèlent toutes leurs saveurs qu'avec des mets costauds, à base de viande. Ne vont pas avec le porc ou le poulet froids.

Les vins blancs et les mets: quelques suggestions pour les types de vins décrits de la page 8 à la page 22.

	Vins blancs très secs, neutres	Vins vifs et fringants	Vins blancs intenses, noisettés	Vins blancs mûrs, à saveur de grillé	Vins aromatiques
MARIAGE EXCELLENT ↓ CORRECT	Poisson, fruits de mer cuits au naturel	Mets en sauce tomate, y compris les fruits de mer	Sauces crémeuses ou au beurre	Saumon, ou thon, grillé ou cuit au four	Mets thaïlandais et chinois
	Poitrines de poulet grillées	Tomates	Poisson blanc grillé au naturel	Sauces crémeuses ou au beurre	Poisson fumé
		Pizza	Poulet, ou dinde, grillé ou rôti		Canard et oie
	Spaghetti alla carbonara	Mets indiens	Saumon fumé	Poulet, ou dinde, grillé ou rôti	Pâtés riches
	Quiche	Salades avec vinaigrette relevée	Spaghetti alla carbonara	Grillades	Porc
	Salades			Faisan ou lapin	Quiche
	Mets cajun et tex-mex	Sushis	Saumon, ou thon, grillé ou cuit au four	Spaghetti alla carbonara	Tout ce qui réunit beaucoup de saveurs (mets asiatiques, charcuteries, smörgasbord, etc.)
	Saucisson	Fromage de chèvre			
	Porc	Mets du Sud-Est asiatique	Fruits de mer en sauce crémeuse au vin blanc	Fruits de mer en sauce crémeuse au vin blanc	
	Mets thaïlandais et chinois	Mets tex-mex			Mets indiens
	Viandes froides	Mets sichuanais	Porc		Tout plat avec du gingembre frais
	Plats à base de tomate	Saumon, ou thon, grillé ou cuit au four			Porc et poulet froids
	Pizza		Faisan ou lapin	Poisson fumé	
	Sauces crémeuses ou au beurre			Mets moyennement épicés	
ATTENTION: DÉSASTRE	**Éviter de servir du vin blanc sec avec des mets sucrés.**	**S'allient avec des mets difficiles à marier avec un vin; ne vont pas avec les viandes rouges grillées ou rôties.**	**Intenses, subtilement aromatisés: les épices détruiraient cette subtilité.**	**Les vins très boisés écrasent la chair délicate du poisson et ne s'allient guère aux mets acides et épicés.**	**S'allient bien à la nourriture en général, mais se marient mieux avec les mets plus raffinés.**

Autres styles de vins

Les **vins rosés**, secs et fruités, se marient bien avec toute une gamme de plats, allant du poisson délicat aux mets épicés. Puisqu'ils sont légers, ils ne se servent pas avec des plats de viande costauds.

Les **vins secs mousseux** s'allient bien, eux aussi, avec quantité de mets, surtout avec les fruits de mer et le poisson fumé. Du Champagne avec des huîtres, voilà un mariage classique de luxe, particulièrement avec le Champagne non millésimé, moins riche et moins cher.

Les **vins liquoreux, nerveux** sont délicieux avec les amuse-gueule, comme les olives et les noix, et avec les soupes. Compagnons classiques des tapas à l'espagnole.

Les **vins liquoreux, chaleureux** se servent bien avec le fromage et le chocolat.

Les **vins doux, dorés**, accompagnent les mets sucrés et le fromage bleu.

Le lieu, l'ambiance

Mes meilleurs souvenirs d'accords gourmands entre vins sublimes et nourriture me viennent de pique-niques lors de voyages en France et en Italie. Je m'arrêtais dans un village de Toscane ou du sud de la France, j'achetais du pain, du fromage et des tomates, du vin provenant des fûts du vigneron du coin, et je dégustais tout cela quelques instants plus tard, dans une clairière. Vin et nourriture n'auront jamais meilleur goût.

La magie résidait dans la simplicité du repas et la joie de baigner dans le même soleil qui avait fait mûrir les raisins. D'un point de vue scientifique, les vins et les mets d'une même région ne se marient pas nécessairement bien, mais une approche trop technique enlèverait le plaisir de la dégustation. Tout simplement, un vin du sud de la France accompagnera bien un plat provençal, et un vin rouge léger d'Italie mettra en valeur une bonne pizza.

La cuisine du monde entier

De nos jours, des vins et des mets provenant de partout dans le monde s'offrent à nous et trouvent bien des adeptes. Aussi, des plats provenant de pays n'ayant pas une grande culture des vins, sont appréciés à travers le monde. Néanmoins, des plats riches et épicés, chinois, thaïlandais, vietnamiens, indiens, africains ou mexicains, et la cuisine des pays de la ceinture du Pacifique s'allient merveilleusement bien avec les saveurs des vins fruités modernes, saveurs que l'on ne retrouve pas nécessairement dans les cultures vinicoles traditionnelles d'Europe.

Néanmoins, certains vins classiques européens ont du fruité, comme les vins d'Alsace, surtout le Gewürztraminer, et le Riesling allemand. Pour accompagner ces plats exotiques, choisir un Riesling, quelle qu'en soit la provenance, un Sauvignon blanc de Nouvelle-Zélande ou d'Afrique du Sud, ou un vin rouge fruité et juteux, comme le puissant Zinfandel de Californie.

Le vin et le fromage

En général, on considère d'emblée que le fromage est un allié naturel du vin. Pourtant, les mariages excitants entre les deux

sont rares. Et le cliché qui perdure, comme quoi le vin rouge est le vin idéal pour accompagner le fromage, laisse encore plus perplexe: la plupart du temps, le vin blanc sera un meilleur allié.

Les vins rouges sont bons avec les fromages forts, comme le cheddar moyen ou le gouda, et les fromages fades, comme la mozzarella. Pour le cheddar fort ou d'autres fromages très forts à pâte dure, un rouge corsé est tout indiqué, comme une Syrah de la vallée du Rhône ou un Shiraz d'Australie, voire un Porto. Le fromage de chèvre est meilleur avec un Sancerre blanc de la vallée de la Loire ou d'autres vins issus du sauvignon blanc. Les fromages mûrs, comme le brie ou le camembert, sont hostiles à la plupart des saveurs de vins, sauf peut-être à la magie des vins mousseux. Les bleus forts demandent des vins blancs sucrés: les combinaisons classiques sont le Porto avec un stilton, et le Sauternes blanc du Bordelais, sucré, avec le roquefort.

Plats végétariens

Le Pinot blanc d'Alsace, aux arômes nets et éclatants et aux saveurs de pomme, ainsi que le Grenache et le Tempranillo, vins simples sans fruité et peu tanniques, accompagnent bien la cuisine végétarienne moderne. Un rosé sec aussi. Les mets épicés ou à base de tomate demandent des vins rouges ou blancs, fruités et acides. Les sauces crémeuses ou au fromage nécessitent des vins plus doux: un Sémillon ou un Chardonnay mûr, à arôme de grillé. Les vinaigrettes peuvent tuer le vin et ne s'accordent qu'avec un vin blanc vif et fringant, comme le Riesling sec ou le Sauvignon blanc.

Le vin et la santé

COMME DANS LES TEMPS ANCIENS, le vin a, de nos jours, la réputation d'être bon pour la santé. Il a été autrefois hautement prisé pour ses propriétés médicinales, surtout parce qu'il était plus hygiénique d'en boire que de boire de l'eau. Il servait d'antiseptique lorsque rien d'autre n'était disponible, et de base dans nombre de médicaments. Certains médecins s'aventuraient plus loin et recommandaient des vins spécifiques pour soigner des malaises précis. Il s'agissait alors de médications empiriques!

Les effets dommageables de l'alcool sont également connus depuis longtemps, et des ligues antialcooliques essaient depuis des années de nous persuader que l'alcool est néfaste en soi. Pourtant, preuves médicales à l'appui, une consommation modérée d'alcool, surtout de vin, est meilleure pour la santé qu'une abstinence complète.

Les bénéfices pour la santé

Les scientifiques ont prouvé que le vin, en prévenant l'occlusion des artères et la coagulation sanguine, réduit les risques d'arrêt cardiaque, d'infarctus du myocarde ou autres maladies cardiovasculaires.

Certains de ces bénéfices sont dus à l'alcool dans le vin. L'alcool agit comme un anticoagulant, ce qui facilite la circulation du sang et prévient la formation de caillots. Anti-

oxydant puissant, il augmente les lipoprotéines de haute densité, ou «bon» cholestérol. Celles-ci réduisent les lipoprotéines grasses de basse densité, ou «mauvais» cholestérol, qui se déposent contre les parois des artères.

Au début, ces propriétés n'étaient attribuées qu'au vin rouge, mais des recherches plus poussées ont démontré que le vin blanc les possédait aussi. Le vin peut aussi réduire le risque d'apparition de certains cancers et aide à garder une vivacité d'esprit à un âge plus avancé. Sans oublier l'agréable détente que procurent un ou deux verres de vin à la fin d'une journée.

Une consommation modérée

Ceux qui avantagent les bénéfices du vin en tant que boisson bonne pour la santé soulignent qu'ils ne sont ressentis qu'avec une consommation modérée et régulière. De trop grandes quantités d'alcool augmentent la probabilité de certaines affections, entre autres celles qu'une consommation modérée prévient. De plus, l'alcool n'est pas recommandé aux personnes souffrant de certaines maladies spécifiques. Les femmes enceintes devraient consulter un médecin avant de consommer de l'alcool.

Ceux qui se posent des questions au sujet de l'alcool devraient en discuter avec leur médecin. Personnellement, je crois que boire de l'eau pour étancher sa soif et déguster le vin pour ses arômes est une sage devise. Sans en boire trop, le plaisir et le bien-être que procure le vin est un avantage en soi.

En 1999, les producteurs américains ont gagné le droit de souligner les aspects bénéfiques du vin sur leurs étiquettes. Laurel Glen était au premier rang de cette campagne.

Acheter et entreposer le vin

CHEZ MOI, IL Y A un fouillis de bouteilles sous l'escalier, et des bouteilles égarées dans des coins de la cuisine, dans la salle de rangement et derrière le téléviseur. Mais le nombre de bouteilles entreposées ne m'empêchera pas d'acheter une bonne bouteille pour la soirée. C'est la façon dont nous achetons le vin aujourd'hui, non pas pour une occasion, non pas pour l'entreposer, mais comme faisant partie des achats de la journée.

Où acheter le vin

Quand on achète du vin, ce peut être beaucoup plus que de faire de simples courses: ce peut être un plaisir et une détente en soi. Pour le choix d'une bouteille de qualité, la meilleure chose est de rester à la maison. Internet a révolutionné l'achat du vin. Plusieurs établissements et détaillants ne vendent le vin que par Internet. Ils ont des sites Web que l'on peut consulter à loisir, pour comparer les prix et obtenir plus d'informations sur un vin en particulier.

Internet est la version moderne de la façon traditionnelle de commander le vin par la poste, sur laquelle a reposé la vente au détail pendant des années. Les deux méthodes présentent un avantage, celui de ne pas avoir à transporter les bouteilles chez soi, et, ce qui est plus important, donne accès à un grand nombre de vins que l'on ne retrouve pas nécessairement sur le marché.

Pour moi, ce qu'il manque, c'est l'atmosphère tranquille et méditative d'une bonne succursale des vins, l'air frais sentant presque le moisi, l'éclairage discret, le calme. Le temps de se détendre, de parcourir les allées, de choisir minutieusement et de rêver à certaines bouteilles que l'on ne pourra jamais s'offrir. Les vins sont entreposés dans de bonnes conditions et le personnel est sérieux. Une bouteille coûtera peut-être un peu plus cher qu'ailleurs, mais l'endroit et l'ambiance inspirent.

La plupart des détaillants en vins offrent une réduction à l'achat de 12 bouteilles, sans qu'il s'agisse nécessairement du même vin. Il s'agit en général de la quantité minimale que

l'on puisse acheter par Internet ou par courrier.

Si vous êtes intéressé par les vins d'avant-garde ou les vins de primeur — ce qui signifie investir dans un vin qui est encore au vignoble, au château et n'a pas encore été embouteillé — assurez-vous que le vendeur est habitué aux transactions de ce genre, et qu'il exporte d'autres vins.

S'informer

À la télévision, à la radio, dans les journaux et les magazines et sur certains sites Web spécifiques, on traite des vins; mais partager ses expériences avec des amis est la meilleure façon d'aller chercher des recommandations. Vous trouverez en magasin des fiches qui vous informent sur les vins, et plusieurs vins sont décrits en détail sur les contre-étiquettes des bouteilles.

Tous les détaillants publient la liste des vins qu'ils

La plupart des résidences modernes n'ont pas de cave pour garder le vin. S'il est impossible d'aménager une armoire sous l'escalier, pourquoi pas faire le plongeon et installer un cellier hélicoïdal sous votre maison?

Conseils d'expert
Là où le vin est en vente libre…

Dans une bonne succursale

- Le personnel est bien renseigné et il y a beaucoup d'informations sur les vins.
- L'endroit est agréable et l'éclairage, tamisé.
- On sait vous conseiller l'achat d'un vin moins cher.
- Il y a régulièrement des dégustations de vins.
- Il y a tout un éventail de vins jeunes et de vins matures.

Dans une succursale médiocre

- Le personnel est mal informé.
- Les bouteilles sont à la verticale sur des étagères poussiéreuses, et «cuisent» littéralement depuis des mois.
- Le personnel essaie de vous faire acheter les vins les plus chers.
- On ne vend que des noms de marque.
- Il y a plus d'espace consacré aux bières, aux cigarettes, à l'épicerie et aux friandises.

Voici la sorte de succursale que j'adore. C'est un endroit intéressant, conçu avec imagination et bien approvisionné; les vins sont bien entreposés, l'éclairage est tamisé, et il y a un éventail séduisant d'échantillons que le client peut goûter.

entreposent. Les listes les plus simples donnent le nom des vins et leur prix, ainsi que des détails sur la succursale. Les plus ambitieuses passent en revue tous les vins (parfois avec battage publicitaire) et peuvent inclure des détails sur certaines régions vinicoles et sur les viniculteurs.

La plupart des détaillants de vins organisent des dégustations. Certaines sont officielles, d'autres informelles, avec quelques vins que les clients peuvent déguster pendant les heures d'ouverture. Certains détaillants vous pressent alors d'acheter les vins que vous avez goûtés.

Un bon service

Des informations sur un vin précis peuvent être demandées chez le détaillant. Un personnel enthousiaste et connaisseur est en général avide de parler de ses vins. Si aucun membre du personnel ne s'y connaît, ou que les préposés donnent l'impression de raconter n'importe quoi, il y a des risques qu'ils ne sachent pas mieux prendre soin des vins. Faites vos emplettes ailleurs.

Même si un détaillant prend soin de ses vins, il lui est impossible de garantir que toutes les bouteilles sont sans défaut. La plupart des détaillants se feront un plaisir d'échanger une bouteille si vous suspectez un défaut après l'avoir ouvert.

Acheter son vin toujours au même endroit peut être intéressant. Le détaillant connaît vos préférences et pourra vous guider dans votre choix.

Acheter directement du producteur

Certains châteaux et les établissements vinicoles sont très heureux de vendre directement aux clients, ou par la poste. Pour certains, il s'agit de la seule façon de vendre. Si vous êtes de passage, téléphonez d'abord pour connaître les heures d'ouverture et prenez rendez-vous si nécessaire. Certaines précautions sont de mise. Même si l'époque est à l'achat par Internet, vous pouvez encore être confronté à des barrières douanières. Où que vous résidiez, vous devrez en général payer des droits de douane pour importer du vin. Dans certains États américains, il est actuellement illégal d'acheter du vin en dehors des frontières de l'État.

Entreposer le vin

Peu d'entre nous avons au sous-sol une grande cave sombre et fraîche où l'on puisse entreposer des bouteilles pour les laisser vieillir pendant des années. Il est toujours valable de garder quelques bouteilles chez soi, dans un casier, pour éviter de courir sans arrêt chez le détaillant de vins. Il faut entreposer les vins à l'abri de la lumière directe du soleil et loin des sources de chaleur. Ils se garderont bien pendant au moins quelques mois.

Cependant, un vin rouge fortement tannique ne révélera son caractère plus doux qu'après plusieurs années, et plusieurs des vins blancs de grande qualité se développent avec le temps. S'ils sont gardés à la maison pendant des années, la lumière, la chaleur et l'air sec s'uniront pour les détruire.

On doit entreposer les bouteilles dans un endroit relativement frais et humide, qui ne soit pas sujet à d'énormes écarts de température. Ce lieu doit être sombre et exempt de vibrations. Les bouteilles sont maintenues à l'horizontale afin que les bouchons restent humides et gonflés, ce qui préserve leur étanchéité.

Un placard sous l'escalier est un bon endroit pour entreposer le vin, ou encore l'arrière d'un placard ou le tiroir du bas d'une commode. Pour assurer des conditions d'entreposage parfaites, il est possible d'acheter un meuble avec contrôle de la température et de l'humidité ou encore de faire creuser une cave au sous-sol, mais ces deux options coûtent très cher. Il est aussi possible de payer pour faire entreposer vos bouteilles. Il faut alors demander un certificat d'entreposage, bien identifier ses casiers et les entreposer à l'écart de la réserve du détaillant.

Terme œnologique | **Casiers de fin de série**

Les **casiers de fin de série** sont tout simplement les bouteilles qui restent d'une vendange d'une autre année et qui sont à liquider pour faire de la place aux nouveaux crus. Ou encore trop de bouteilles d'un même vin ont été achetées et il faut s'en défaire. Il se peut que ce soit des restes de séries qui prennent trop de place. D'une façon ou d'une autre, ces bouteilles sont en général offertes à prix réduit, et il s'agit souvent de bonnes occasions, malgré le risque encouru que les vins soient périmés.

La lecture de l'étiquette

UNE ÉTIQUETTE DE VIN ne sert pas qu'à habiller une bouteille ou à faire de la publicité pour les vins d'un producteur. Il s'agit d'une carte de visite du vin. Considérant tout ce que je vous ai expliqué précédemment, il est possible de vous faire une assez bonne idée des informations que vous aimeriez y trouver.

Qu'un vin soit rouge ou blanc peut se constater à l'œil nu. Pour savoir ce que l'on achète, l'étiquette doit nous renseigner sur le vin: le cépage dont il est issu, son lieu d'origine, le nom du producteur et le millésime.

Plusieurs étiquettes de vin offrent clairement ce type d'informations. D'autres semblent plus obscures, bien qu'en réalité il suffise de mieux comprendre le langage du monde des vins.

Quel sera son goût?

Les étiquettes les plus simples à comprendre sont celles qui indiquent la variété de cépage. La plupart des étiquettes des

LES IMPOSTEURS

Les réglementations concernant les étiquettes sont plus sévères que jamais. Il est vrai que les vins mousseux d'Amérique du Nord ou d'Amérique du Sud peuvent encore prendre l'appellation de Champagne tant et aussi longtemps qu'ils ne sont pas exportés en Europe. Mais il y a du progrès. L'Australie, pour ses propres vins, est en train d'éliminer graduellement l'usage tendancieux de noms de vins classiques français, comme le Chablis et le Sauternes.

Il faut surtout surveiller les vins provenant de régions méconnues, embouteillés et étiquetés de telle sorte que l'on croit qu'ils sont d'un autre cru ou proviennent d'ailleurs. La chose est simple et légale: vous prenez un vin rouge ou blanc d'Europe de l'Est, vous lui donnez un nom de marque comme Kangaroo Creek et vous inscrivez les détails concernant sa provenance en très petits caractères.

Ce n'est pas si terrible, pour autant que le goût du vin corresponde aux informations données sur l'étiquette. Mais il est tout de même honteux de vouloir faire acheter au consommateur non averti un vin pour un autre. Surtout aujourd'hui, lorsque ce même consommateur est prêt à acheter un bon vin, quelle que soit son appellation.

vins du Nouveau Monde le font, même s'il existe aussi une mode de désignation des meilleurs vins par un numéro de cuve ou de casier, le nom du vignoble ou celui de la fille du propriétaire. Dans un tel cas, la contre-étiquette pallie au manque et vous indique le cépage d'origine.

La variété du cépage est le renseignement le plus important que l'étiquette puisse fournir pour deviner le goût du vin. Le deuxième est le lieu d'origine. Un Sauvignon blanc de Nouvelle-Zélande a un style et des arômes particuliers. En voyant l'étiquette, il est possible de savoir à quoi vous attendre.

En ce qui concerne les vins européens, les variétés de cépage ne sont pas souvent indiquées. Cependant, ils ont tendance à être définis par des réglementations qui s'appliquent dans la région d'origine du vin. Les codes d'appellations, de la page 138 à la page 140, permettent de faire le lien entre les vins classiques et les variétés de cépage. En lisant une étiquette de vin, il est donc possible de replacer le vin dans le contexte de sa production.

Le vin rouge Rioja, par exemple, est fait principalement d'un mélange de tempranillo et de grenache, ce qui lui donne une saveur particulière; les Bordeaux rouges sont surtout issus d'un mélange de cabernet-sauvignon, de merlot et de cabernet franc, et présentent des arômes différents. Il est illégal de faire croître du tempranillo et du grenache dans le Bordelais et d'appeler le vin qui en résulte du Bordeaux.

Le terme «terroir», qui a été expliqué plus tôt, est à la base du système d'appellation des vins de France. Du point de vue français, le terroir est ce qui fait que chaque vignoble est unique. Il est donc plausible de donner à une région qui appartient plus ou moins à un même terroir un nom (ou appellation) et de donner à une autre région ayant un terroir légèrement différent une autre appellation. Même si les cépages sont les mêmes, les styles de vins seront différents. Dans le nord de la vallée du Rhône, cinq appellations différentes produisent des vins rouges à partir des raisins syrah, mais chacun a (en théorie) un caractère unique.

Terme œnologique

Sec, moelleux ou liquoreux?

Pour les vins de tous les pays, sauf ceux d'Allemagne, vous pouvez vous attendre à ce qu'ils soient secs, sauf si le contraire est mentionné.

FRANCE

Sec, **demi-sec**, **doux** ou **moelleux**, **liquoreux**. Pour le Champagne, le **brut** est le plus sec. L'**extra sec** l'est moins. Le **demi-sec** (ou **riche**) est assez sucré. Attention aux vins dont les appellations s'appliquent à des vins sucrés, comme le Sauternes; il n'y a aucune indication, sur les étiquettes, spécifiant que ces vins sont sucrés.

ITALIE

En italien, sec est **secco**, demi-sec est **semisecco**, demi-doux est **abboccato** ou **amabile**. Les vins sucrés sont **dolce**.

ESPAGNE

Les termes utilisés sont **seco, semi-seco** et **dulce**.

ALLEMAGNE

Les vins semblent être au moins légèrement sucrés à moins qu'il ne soit précisé le contraire. Le **Trocken** est sec, le **Halbtrocken** est demi-sec.

AUTRICHE

Les vins secs y sont beaucoup plus courants qu'en Allemagne. Les vins sucrés d'Autriche sont, dans un ordre ascendant, le **Spätlese**, l'**Auslese**, le **Beerenauslese**, l'**Ausbruch**, le **Trockenbeerenauslese** et l'**Eiswein**.

Est-il bon?

La question la plus importante, à laquelle aucune information sur l'étiquette ne saura répondre directement, est si le vin est bon, mauvais ou quelconque. Même s'ils essaient de le faire, les systèmes de classification officielle ne sont pas d'un grand secours.

La façon la plus simple de classifier un vin est d'après son lieu d'origine. La plupart des pays du Nouveau Monde adoptent le système américain de l'*American Viticultural Area* (AVA). Chaque région doit répondre à une certaine homogénéité, de climat par exemple, mais en pratique, plusieurs zones ont des frontières qui correspondent simplement aux comtés. Ce type de système ne comporte aucune connotation de qualité.

Tous les systèmes européens sont basés, jusqu'à un certain point, sur le concept du terroir. Pour assurer que le caractère intrinsèque de chaque région vinicole est maintenu, il a été vraiment nécessaire de réglementer tous les aspects de la production du vin.

En France, les vins les plus strictement réglementés (et chaque pays européen a une classification équivalente — voir l'encadré ci-dessous) sont les vins d'appellation contrôlée. Ces mots sur l'étiquette ne sont pas, cependant, une garantie de qualité; ils assurent que le vin possède les caractéristiques de la région et qu'il a été élaboré en accord avec les réglementations de la région. C'est pourquoi il est illégal de faire pousser n'importe quel vieux cépage dans le Bordelais et de réclamer l'appellation Bordeaux pour les vins qui en découlent. Pour les vins VDQS, les lois sont un peu moins rigides; celles pour les vins de pays laissent beaucoup de latitude, et les vins de table peuvent être à peu près n'importe quoi.

Dans l'Ancien Monde comme dans le Nouveau Monde, pour une garantie de qualité, il faut se fier au nom du producteur. Un mauvais producteur peut suivre tous les règlements et élaborer un vin médiocre; un bon producteur fera du vin correct dans n'importe quelles circonstances.

LA CLASSIFICATION DES VINS EN EUROPE

Le système d'appellation français est le système de contrôle de la qualité le plus connu. Les autres pays européens ont grosso modo des qualifications équivalentes, bien que certains aient plus de catégories. La qualité des vins à l'intérieur de n'importe laquelle des bandes horizontales du tableau n'est pas constante et une bonne bouteille d'un vin simple sera préférable à un vin pauvre qui répond pourtant aux réglementations établies pour des vins d'un statut plus élevé.

	France	Italie	Portugal	Espagne	Allemagne
Vins de qualité supérieure	Aucune catégorie	Denominazione di Origine Controllata e Garantita (**DOCG**)	Aucune catégorie	Denominación de Origen Calificada (**DOC**)	Qualitätswein mit Prädikat (**QmP**) – subdivisé en 6 styles
Vins de qualité	Appellation d'Origine contrôlée (**AC/AOC**) ou Vin délimité de qualité supérieure (**VDQS**)	Denominazione di Origine Controllata (**DOC**)	Denominação de Origem Controlada (**DOC**) ou Indicação de Proviniênçia Regulamentada (**IPR**)	Denominación de Origen (**DO**)	Qualitätswein bestimmter Anbaugebiete (**QbA**)
Vins de région	Vin de pays	Indicazione Geografica Tipica (**IGT**)	Vinho regional	Vino de la tierra ou vino comarcal	Landwein
Vins de base	Vin de table	Vino da tavola	Vinho de mesa	Vino de mesa	Tafelwein

Quel producteur choisir?

Le producteur est la société qui élabore le vin. Il a le contrôle du choix des cépages qui entreront dans la composition du vin et de la production. Il est donc responsable de la qualité du vin. Une grande qualité n'est pas nécessairement synonyme de coût élevé. Un bon producteur se distingue par l'élaboration de vins de bonne qualité plutôt que de vins quelconques, à prix égal. Vous trouverez une liste des vins de producteurs recommandés dans *Monde des Vins*, de la p. 74 à 137.

Il existe des milliers de producteurs de vin à travers le monde et vous ne pouvez espérer tous les connaître, ni même connaître tous les bons producteurs, ni même ceux d'un pays en particulier. Acheter du vin d'un producteur inconnu comporte toujours des risques. Il est préférable de demander conseil et, peu à peu, de faire vos propres découvertes.

Les vins portant des noms de marque, faciles à reconnaître, aident à s'y retrouver dans le labyrinthe des producteurs. De nos jours, la qualité de ces vins est en général bonne, bien qu'ils puissent être trop chers pour ce qu'ils offrent. Un vin avec un nom de marque n'est pas spécifique; il s'agit d'un vin issu de plusieurs cépages et qui a un goût plutôt joyeux. Il sera probablement très bon, et fiable, sans être excitant.

Les contre-étiquettes

Acheter une bouteille de vin serait beaucoup plus facile si l'étiquette vous indiquait le goût du vin; certaines contre-étiquettes le font. Plusieurs détaillants ont aussi des façons fort pratiques de classifier les vins qu'ils vendent, selon une échelle allant de très sec à très sucré pour les vins blancs, et de légers à corsés pour les vins rouges. La contre-étiquette vous indique si un vin est boisé ainsi que les cépages dont il est issu. Elle peut aussi indiquer si le vin se bonifie avec l'âge, et avec quels mets il se marie le mieux. Mais attention: il peut ne s'agir que de verbiage.

Il faut savoir faire la distinction entre une information utile et les interventions d'un service de marketing qui espère vendre son produit. Les renseignements sur la contre-étiquette sont un guide général; il ne faut pas se laisser berner par les envolées lyriques d'un producteur trop enthousiaste.

Conseils d'expert

Cinq points à considérer sur une étiquette

1. **Mis en bouteille à la propriété, au domaine, au château, mise du domaine, mise au château** Une garantie d'authenticité et de qualité. La culture des cépages, la vinification et l'embouteillage ont été effectués en un lieu précis, et le vin a de l'individualité. L'Australie a comme tradition de produire des vins de coupage de haute qualité à partir de cépages provenant de différents États ou régions; le terme est donc moins significatif en ce cas.

2. **Cru** Terme vinicole français qui indique un village ou un vignoble produisant du vin de haute qualité, surtout dans le Bordelais, en Bourgogne et en Alsace.

3. **Méthode traditionnelle** Vins effervescents élaborés selon la méthode champenoise.

4. **Vieilles vignes** Les raisins qui poussent sur les vieilles vignes ont tendance à avoir un jus plus concentré et permettent donc d'obtenir des vins plus denses en saveurs que les vins jeunes.

5. **Millésime** L'âge du vin peut aider à se faire une idée de son goût, selon qu'il est jeune ou mature.

ZINFANDEL
Zinfandel is the ultimate pizza and burger wine. This Zinfandel has the spicy, berry-like fruit that jumps out of your glass. I aged it just long enough in oak barrels to tame some of the intensity of the fruit without losing its zest. Try it with Mexican food, hearty tomato-sauced dishes or stews.

Melissa Bates, Talus Winemaker

La contre-étiquette vous indique souvent ce que vous désirez connaître au sujet du vin, mais tenez compte qu'il s'agit également de réclame.

Conseils d'expert

Cinq indices à repérer sur une étiquette

1. **La réserve** Dans certains pays (entre autres en Espagne et en Italie), les vins de réserve vieillissent dans des fûts de chêne plus longtemps que les autres vins et répondent à des réglementations sévères. Ailleurs, le terme peut être utilisé pour indiquer le style de vin; mais encore là, cela peut ne rien signifier du tout.

2. **Supérieur** Il est faux de croire qu'un vin qualifié de supérieur sera meilleur. Ce terme, et son équivalent italien **superiore**, indique seulement que le vin a un taux d'alcool légèrement plus élevé qu'un vin ordinaire portant le même nom.

3. **Grand vin** Dans le Bordelais, Grand Vin indique qu'il s'agit du principal vin de la propriété vinicole. Cela ne signifie pas que le vin est «grand».

4. **Sud-Est de l'Australie** Le sud-est de l'Australie comprend les plus grandes zones vinicoles du pays. Il ne s'agit donc pas d'une appellation spécifique.

5. **Tout ce qui a trait à spécial, exceptionnel, classique, à diffusion limitée, des caves du propriétaire…** Ces termes ont peu de signification. Prenez plutôt en considération les données de base (producteur, type de vin, millésime, lieu) afin d'en déduire la possible qualité d'un vin.

France

1. Le nom du producteur.

2. Le nom du vin.

3. L'appellation — classification de la qualité et lieu d'origine. (Les lois françaises s'attendent à ce que ce nom vous indique plus ou moins le goût du vin. Dans la vallée de la Loire, par exemple, cette appellation est réservée aux vins doux élaborés à partir du cépage chenin blanc. Rien sur l'étiquette ne vous précisera cela.)

4. L'année de la vendange des raisins (le millésime).

5. Le vin a été embouteillé dans les caves du producteur, ce qui suggère une qualité supérieure.

6. La quantité de vin dans une bouteille — en Europe, une bouteille contient en général 750 ml de vin.

7. Le taux alcoométrique.

Les étiquettes espagnoles et italiennes sont conçues à peu près de la même façon.

1 — H. Dönnhoff Weingut
D-55585 OBERHAUSEN — AN DER NAHE

3 — 1993
4 — Oberhäuser Brücke
6 — Riesling Auslese
5 —

9332
Nahe — GUTSABFÜLLUNG — alc.
QUALITÄTSWEIN MIT PRÄDIKAT · A. P. Nr. 7⁄5301001194 — 9.5% vol. — 7
PRODUCE OF GERMANY — 750 ml e — 8

2 9 10

1. Le nom du producteur.
2. Le lieu de production.
3. Le millésime.
4. Le nom du village ou du vignoble — ce vin provient d'Oberhaus (le -er à la fin du nom signifie que le vignoble appartient à ce lieu); et les raisins ont poussé au vignoble Brücke.
5. Le cépage.
6. Le degré de maturité des raisins (voir l'encadré ci-dessous).
7. Le taux alcoométrique.
8. La quantité de vin dans la bouteille.
9. La classification du vin en termes de qualité.
10. Embouteillé par le producteur.

LES TYPES DE VINS ALLEMANDS

Les Qualitätswein mit Prädikat (les vins allemands de plus grande qualité) se subdivisent en six catégories, en fonction du degré de maturité des raisins utilisés.

Kabinett Le vin QmP le plus léger. Il sera semi-sucré à moins que l'étiquette n'indique **Halbtrocken** (semi-sec) ou **Trocken** (sec).

Spätlese (vendanges tardives) Plusieurs sont doux, même s'il existe aussi des variétés Halbtrocken et Trocken.

Auslese (sélectionné) Vins produits à partir de raisins sélectionnés très mûrs. La plupart sont très doux et voluptueux, quelques-uns sont secs.

Beerenauslese (grains sélectionnés) Vins doux et voluptueux élaborés à partir d'une seule sorte de raisins sélectionnés, presque toujours touchés par la pourriture noble.

Trockenbeerenauslese (grains flétris et sélectionnés) Vins intensément doux faits à partir de grappes de raisin cueillies une à une et dont les grains sont flétris par la pourriture noble.

Eiswein (vin de glace) Fait à partir de raisins gelés cueillis en hiver.

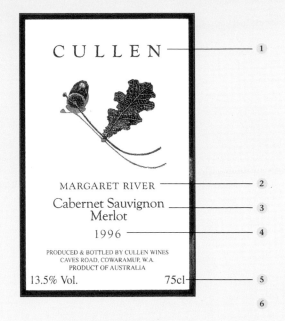

1 — CULLEN
2 — MARGARET RIVER
3 — Cabernet Sauvignon Merlot
4 — 1996
PRODUCED & BOTTLED BY CULLEN WINES
CAVES ROAD, COWARAMUP, W.A.
PRODUCT OF AUSTRALIA
13.5% Vol. — 75cl — 5
6

1. Le nom du producteur.
2. La région où ont poussé les raisins.
3. Les cépages utilisés (la variété prédominante est nommée en premier).
4. Le millésime.
5. La quantité de vin dans la bouteille.
6. Le taux alcoométrique.

LES RÉGLEMENTATIONS À L'EXTÉRIEUR DE L'EUROPE

Aux États-Unis, en Amérique du Sud, en Australie, en Nouvelle-Zélande et en Afrique du Sud, des réglementations régissent l'énoncé du lieu d'origine et des cépages utilisés sur les étiquettes de vin afin d'assurer un étiquetage honnête, mais elles ne se prononcent pas sur la qualité du vin. Cependant, l'Australie a introduit des catégories Supérieur et Exceptionnel pour ses meilleurs vignobles. Le Canada a son propre système d'appellation basé sur la qualité, reconnaissable sur la bouteille au sigle VQA.

Vins recommandés

Dans cette partie du livre, j'ai réuni des sélections de vins à goûter, afin de vous faire découvrir les saveurs des régions du monde grâce aux vins de bons producteurs. Les noms des producteurs sont présentés en **gras**. Vous ne trouverez peut-être pas tous ces vins dans les magasins de votre région, mais vous pouvez les commander par la poste. De plus, des distributeurs de vins offrent un bon service par Internet. N'oubliez pas que tout vin autre que ceux que je vous propose, provenant d'un bon producteur, vaut la peine d'être goûté.

Les vins sont présentés par ordre croissant de prix, allant des vins peu coûteux, pour la consommation quotidienne, à des vins très cher pour des occasions spéciales. J'ai utilisé une échelle de 1 à 5 pour donner une estimation des prix.

1 Très abordable   2 Assez abordable   3 Relativement cher

4 Cher   5 Très cher

40 °N

Tropique du Cancer

Équateur

Tropique du Capricorne

40 °S

Partie III

Le monde des vins

Il fut un temps où les seules régions importantes sur la carte du monde des vins étaient des pays européens ayant une longue tradition vinicole. Puis, vers la fin des années 1970, les pays du Nouveau Monde lancèrent un nouveau défi avec des idées innovatrices et de nouvelles versions éclatantes et fraîches des vins européens classiques. La Californie et l'Australie amorcèrent cette transition, suivies de la Nouvelle-Zélande et, plus récemment, du Chili, de l'Argentine et de l'Afrique du Sud. De toute évidence, le Nouveau Monde et l'Ancien Monde, correspondant chacun à un regroupement de diverses parties du globe, ont développé des dispositions d'esprit différentes (ou spécifiques). Mais aujourd'hui, concernant le monde des vins, tradition et innovation vont de pair.

Des vignobles ont été établis dans le monde entier, la plupart entre les 30ᵉ et 50ᵉ parallèles Nord et les 30ᵉ et 40ᵉ parallèles Sud. Les régions plus rapprochées des pôles sont trop froides pour la culture de la vigne et celles qui sont plus près de l'équateur sont généralement trop chaudes pour produire du raisin propre à la vinification.

France

LA FRANCE… On prononce les mots «vin français» et tout le monde a une opinion: le meilleur, le pire, le plus cher, de la piquette… quoi qu'on en pense, le contraire est probablement tout aussi vrai. Mais personne ne peut nier que la France est au cœur du monde des vins.

Ce qui me fascine, c'est l'éventail des saveurs que l'on y trouve. Au départ, à l'échelle du globe, la plupart des vins trouvent leur origine en France. La popularité mondiale du cabernet-sauvignon vient des saveurs de cèdre et de cassis du Bordeaux rouge. Le Bourgogne a suscité, de par le monde, l'amour des cépages chardonnay et pinot noir. Le Champagne a inspiré des milliers d'imitations de vins pétillants.

Mais l'influence du Nouveau Monde se fait sentir en France autant qu'ailleurs, et les saveurs sont devenues plus douces et plus riches qu'auparavant. Cependant, on devrait toujours s'attendre à ce que les vins français soient manifestement moins fruités que les vins équivalents du Nouveau Monde. Ils sont plus subtils dans certains cas, plus austères et réservés dans d'autres.

On ne doit pas oublier que la réputation de la France comme productrice de grands vins est fondée sur la qualité de ses meilleurs produits. Autrement, ses vins sont de qualités diverses. Et si l'on considère les vins français les moins chers, des dizaines d'autres pays offrent un meilleur rapport qualité-prix et de meilleures saveurs

CLASSIFICATIONS FRANÇAISES

La France, comme tous les pays de l'Union européenne, possède un système de classification à niveaux. Plus la qualité du vin est élevée, plus la réglementation régissant l'origine du vin, la variété de cépage ainsi que les méthodes de culture et de vinification sont strictes. Mais une appellation contrôlée n'est pas synonyme de «garantie de qualité». Elle garantit simplement que le vin provient de la région mentionnée sur l'étiquette, et qu'il a été élaboré conformément à la loi.

Appellation d'origine contrôlée (AC ou AOC) Les vins français de qualité supérieure doivent se conformer à des réglementations strictes. Les producteurs ne peuvent cultiver que certaines variétés de cépages dans chaque région, et un certain rendement par hectare est imposé.

Vin délimité de qualité supérieure (VDQS) Une sorte d'AC de deuxième catégorie qui ne représente seulement qu'un pour cent de la production.

Vin de pays Vin provenant d'une région, ayant des caractéristiques propres à cette région, et qui répond à des réglementations relativement souples. Les viticulteurs innovateurs aiment cette catégorie, car elle leur permet de faire un peu ce qu'ils veulent.

Vin de table La catégorie la plus basse. L'étiquette n'indique pas la région d'origine. Il s'agit la plupart du temps d'un mélange de vins provenant de diverses régions en France. Rarement un bon achat; le vin de pays lui est préférable.

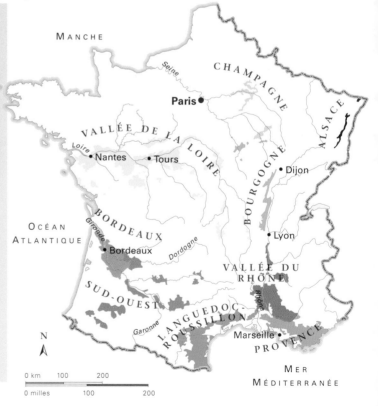

Termes œnologiques | **Château**

La plupart des vins de Bordeaux portent un nom de château quelconque. Cela est impressionnant et, de fait, certains châteaux sont assez magnifiques. Mais dans le Bordelais, il s'agit simplement du nom donné à un domaine, dont la taille peut être très grande ou se limiter à un hectare ou deux. Un château est en quelque sorte une marque de fabrique; le vin varie d'une année à l'autre selon le temps, mais on y retrouve toujours certaines caractéristiques propres au site.

PHOTOGRAPHIE *Des conditions de vendange idéales à Château Palmer, l'un des châteaux les plus intéressants du Bordelais.*

Bordelais

S'il y a un vin qui, depuis des générations, fait la réputation de la France, c'est le Bordeaux rouge. Vin de référence à travers le monde entier, il est à l'origine d'un style de vin rouge intense, aux arômes de cassis. Mais attention: ce n'est pas parce que Château Margaux produit des vins particulièrement spectaculaires que le mot Bordeaux sur une étiquette signifie automatiquement prestige et qualité. Les vins de cette région peuvent atteindre des sommets de qualité, mais l'inverse est aussi vrai. Le pire Bordeaux rouge est un désastre, et il n'est même pas bon marché.

Quand je parle des saveurs du Bordeaux rouge, j'entends des vins allant de bons à très bons. Ces saveurs sont, dans les meilleurs cas, un mélange complexe de cassis et de prune, de cèdre et de cigare, avec parfois une touche de violette ou de café torréfié. Le cépage de base utilisé est surtout le cabernet-sauvignon, toujours mélangé, en général, avec du merlot et du cabernet franc. Les vins à plus forte teneur en merlot ont un goût plus doux et généreusement fruité.

Des vins de cette qualité coûtent cher, mais en général, ce sont les seuls Bordeaux dignes d'être achetés. Les domaines les plus prestigieux de la région produisent des vins sublimes, d'une complexité fascinante. Les très grands Bordeaux rouges sont hors de moyen de la plupart des gens.

Le Bordelais produit aussi plusieurs blancs, doux ou secs. Les plus célèbres vins liquoreux proviennent de Sauternes et de Barsac, un peu plus au nord. Diverses régions de moindre importance produisent des versions plus légères de ce style. Étonnamment, ces vins peuvent offrir un assez bon rapport qualité-prix.

En partant du bas de l'échelle, parmi les blancs secs, le Bordeaux blanc le plus simple actuellement est un bon achat. Il reste frais et net et possède des notes fruitées et herbacées assez attrayantes. Il est moins exubérant que le Sauvignon blanc néo-zélandais, au style vif et fringant. Pourtant, la même variété de cépages est utilisée ici, parfois assemblée avec du sémillon. À l'autre extrémité, les grands blancs de Pessac-Léognan, crémeux et marqués par des arômes de nectarine, peuvent être parmi les meilleurs blancs de France. Le Clairet est, selon le point de vue, un rosé foncé ou un rouge très léger. C'est un bon vin sec à acheter, avec un goût rafraîchissant de petits fruits rouges.

L'importance des régions

Oui, les régions sont importantes. La distinction se fait entre les régions où l'on cultive beaucoup de cabernet-sauvignon (le Médoc, le Haut-Médoc, le Pessac-Léognan et les Graves) et celles qui se spécialisent dans le merlot (Saint-Émilion et Pomerol). Les vins à base de cabernet-sauvignon ont davantage de tanin et une saveur plus austère que les vins à base de merlot, surtout lorsqu'ils sont jeunes.

Sur la carte, on voit des régions moins illustres, comme les Côtes de Castillon, les Côtes de Bourg, les Côtes de Blaye et le Fronsac. Toutes ces régions produisent du vin rouge, et ce sont souvent de bons endroits où trouver des saveurs plus simples et à prix moins élevé. Au mieux, les vins peuvent s'y révéler plus juteux et plus fruités que les vins de haute qualité de régions plus prestigieuses; au pire, ils seront plus maigres et plus austères. Tout cela dépend autant du producteur que de la région. Si on vous suggère un bon vin, faites-en l'essai. Lalande-de-Pomerol propose quelques bons vins

---

🍷 Termes œnologiques | **Claret**

Pendant 300 ans, de 1152 à 1453, Bordeaux a prêté allégeance à la couronne d'Angleterre. Voilà pourquoi, par la suite, le monde anglophone a développé un goût pour les vins. L'un d'eux était nommé **Clairet** parce qu'il était plus léger que les vins plus corsés d'Espagne ou du Portugal. Le nom a été anglicisé pour devenir **claret**, et est toujours en usage en Grande-Bretagne, quoique sémantiquement, il s'applique aujourd'hui à tous les Bordeaux rouges. Le mot **Clairet** est devenu le nom des vins de style rosé de cette région.

À DROITE Le Château Angélus de Saint-Émilion est l'un des Bordeaux rouges les plus réputés.

Coup d'œil | Bordelais

Emplacement Le Bordelais est situé sur la côte de l'Atlantique dans le sud-ouest de la France.

Cépages Les rouges intenses à arôme de cassis sont faits de mélanges de cabernet-sauvignon, de merlot et de cabernet franc, selon diverses proportions, avec du petit verdot et du malbec en proportions moindres. Le sémillon et le sauvignon blanc sont les principaux cépages blancs utilisés pour les vins secs et doux.

Communes à prédominance de cabernet Listrac, Margaux, Moulis, Pauillac, Saint-Estèphe, Saint-Julien (toutes dans le Haut-Médoc); Graves, Pessac-Léognan.

Communes à prédominance de merlot Pomerol, Saint-Émilion.

Jargon local *Rive gauche, rive droite*: les rouges du Médoc, du Haut-Médoc, des Graves et de Pessac-Léognan sont communément appelés vins de la rive gauche de la Gironde, et ceux de Saint-Émilion, de Pomerol et d'autres régions, vins de la rive droite. Ceux de la rive gauche sont principalement des Cabernets et ceux de la rive droite, des Merlots. *Grand vin*: cela signifie qu'il s'agit du principal vin d'un château, ce qui n'a rien à voir avec la qualité du vin. *Second vin*: certains châteaux produisent un second vin à partir de cépages plus jeunes ou poussant sur des parcelles du vignoble de moindre qualité que pour les Grands vins. Ils peuvent être un bon achat. *Petit château*: terme général pour les châteaux non classés du Bordelais. Certains sont bons et d'autres, à proscrire.

Millésimes à rechercher 1998, 1996, 1995, 1990, 1989, 1988, 1986, 1985.

Millésimes à éviter 1992, 1991, 1987; 1994 et 1993 pour les Sauternes.

Suggestions
ROUGES
- **Château la Prade** Bordeaux-Côtes de Francs ②
- **Château Annereaux** Lalande-de-Pomerol ③
- **Château la Tour-de-By** Médoc ③
- **Château Canon-de-Brem** Canon-Fronsac ③
- **Château Roc de Cambes** Côtes de Bourg ④
- **Château d'Angludet** Margaux ④
- **Château Chauvin** Saint-Émilion ④
- **Château Poujeaux** Moulis ④
- **Château Léoville-Barton** Saint-Julien ⑤
BLANCS SECS
- **Château Bonnet** Bordeaux Blanc ②
- **Château Carsin** Premières Côtes de Bordeaux ②
- **Château Reynon** Vieilles vignes Bordeaux sec ②
- **Château Haut Bertinerie** Premières Côtes de Blaye ②
BLANCS DOUX
- **Château Loubens** Sainte-Croix-du-Mont ④
- **Château Lafaurie-Peyraguey** Sauternes ⑤

LA HIÉRARCHIE DES BORDEAUX

Les Bordeaux comptent trois catégories d'AC. On trouve des Bordeaux d'AC dans toute la région du Bordelais (appellation régionale). Le Bordelais se subdivise en districts assez vastes qui ont leurs propres appellations, ou appellations sous-régionales. Et à l'intérieur de ces districts, quelques appellations dites communales autour de villages où les terres des vignobles sont jugées exceptionnelles.

Mais l'appellation «château» est un indice capital de la qualité du vin. Aussi retrouve-t-on à l'intérieur des meilleurs districts une liste des châteaux les plus prestigieux, les **crus classés**. Le Haut-Médoc classe les 61 meilleurs châteaux de Premier cru à Cinquième cru, et environ 300 autres au rang de Cru bourgeois. Pour le Sauternes, la cote la plus haute est le Premier grand cru, suivi du Premier et du Deuxième cru. Les Graves ne comptent que des Crus classés; Saint-Émilion a des Premiers grands crus, suivis des Grands crus. Il n'y a pas de classification officielle à Pomerol.

Certaines de ces classifications sont établies depuis près de 100 ans et même les plus souples ne peuvent tenir compte, d'une année à l'autre, des changements de qualité. Les prix, eux, sont généralement réajustés.

soyeux et débordant de fruits, excellents substituts des Pomerols, mais à moindre coût et en plus grande quantité; Saint-Georges-Saint-Émilion et Puisseguin-Saint-Émilion sont des versions plus simples du Saint-Émilion, parmi tant d'autres.

Les meilleurs Bordeaux blancs secs viennent du Pessac-Léognan et des Graves. Les vins plus simples sont élaborés à Entre-Deux-Mers, ou sont simplement étiquetés Bordeaux blanc sans indication de leur provenance.

Sauternes et Barsac sont les meilleures zones pour les vins liquoreux; d'autres, comme Loupiac, Cérons et Sainte-Croix-du-Mont élaborent des vins intéressants. Curieusement, Monbazillac, la région qui se rapproche le plus de Sauternes pour son style de production, se situe en fait juste à l'extérieur du Bordelais.

L'importance des millésimes

Les millésimes sont plus importants dans le Bordelais que presque partout ailleurs. Le temps peut être tout à fait doux et ensoleillé une année, et frais et humide l'année suivante, de sorte que les vins peuvent varier d'intenses, riches et fruités à maigres et verts parce qu'ils manquent de maturité. Consultez *Coup d'œil*, à la page 79. Tous les bons Bordeaux rouges doivent vieillir quelques années, mais certains millésimes parviennent à maturation plus rapidement que d'autres.

Les blancs les plus simples sont moins sujets aux variations de qualité d'un millésime à l'autre et doivent être bus jeunes. Dans le cas des vins de qualité supérieure, surveillez le millésime et laissez-les vieillir. Le millésime est très important dans le cas des Sauternes parce que la pourriture noble, qui leur donne leur côté liquoreux et leur caractère, n'attaque pas systématiquement les cépages chaque année.

Quand les boire

Si vous ouvrez une bouteille d'un très bon Bordeaux, c'est tout un événement. Le bon Bordeaux nécessite un certain décorum. Conservez-le jusqu'à ce que vous ayez le temps de l'apprécier et accompagnez-le d'un mets qui le mettra en valeur (l'idéal: un gigot d'agneau, cuisson rosée).

Le Sauternes est tout aussi particulier. Comme le font les Bordelais, accompagnez-le de roquefort. Ce mariage est sublime. Les blancs simples, cependant, peuvent se consommer en toute occasion.

Le prix

Il faut se permettre une petite folie une fois dans sa vie, comme un grand rouge. Vous ne serez pas déçu. Les bons blancs, secs et doux, sont eux aussi coûteux, mais les blancs de consommation courante sont d'un bon rapport qualité-prix. Je vous conseille, comme vin rouge de tous les jours, d'opter pour un Bordeaux Clairet.

Bourgogne

La Bourgogne, comme le Bordelais, est une région classique de France. Elle abrite trois célèbres variétés de cépages, qui donnent leur nom à trois styles de vins incontournables: le Pinot noir, soyeux aux arômes de fraise, le Chardonnay, intense et noisetté et le gamay, juteux et fruité, cépage traditionnel du Beaujolais.

Les meilleurs Chardonnays et Pinots noirs atteignent des prix astronomiques et ne sont disponibles qu'en quantités minimes. Le Beaujolais est beaucoup moins sérieux et, même à son mieux, n'a pas de telles aspirations. Les deux premiers ont été imités avec beaucoup de succès ailleurs dans le monde, à partir des mêmes variétés de cépages. Le Beaujolais a surtout été une source d'inspiration pour l'élaboration de rouges juteux et fruités à partir d'une foule de cépages différents.

Le pinot noir est le cépage le plus fascinant, le plus difficile à cultiver et le plus compliqué à vinifier. En comparaison, le cabernet-sauvignon est robuste et sans façon, et les vins dont on en tire garderont fidèlement les caractéristiques du Cabernet quelles que soient les conditions de viti-vinification. Le Pinot noir est léger et subtil et, à la moindre provocation, peut perdre sa fraîcheur, son parfum, ou son incomparable

Étant donné le climat frais de la Bourgogne, l'emplacement du vignoble est capital. Quelques minutes supplémentaires d'ensoleillement chaque jour feront toute la différence entre un bon vignoble et un grand vignoble.

Termes œnologiques | **Producteurs et négociants**

En Bourgogne, le vin peut être embouteillé et vendu par le **producteur** ou par un **négociant**. Ce dernier achète les cépages et la production d'un certain nombre de producteurs afin de vendre les vins sous son propre nom. Par le passé, on disait que les vins des producteurs étaient meilleurs et avaient plus de caractère que ceux des négociants; en général, c'est toujours le cas bien qu'il existe maintenant d'excellents négociants produisant de grandes quantités de vins de haute qualité. Il n'est plus possible de dire que l'un est toujours meilleur que l'autre, mais je continue à préférer les vins du producteur.

caractère satiné. Pour obtenir un bon Pinot noir, il faut un très bon viticulteur et un très bon vinificateur.

Pour avoir une idée de ce que peut être un Bourgogne rouge, on doit ajouter à la nature agressive du cépage les complexités des propriétés lorsqu'il s'agit de vignobles. Alors que le Bordelais se subdivise en grands domaines aux frontières bien délimitées, un domaine bourguignon consiste en de petites parcelles plantées de vignes dispersées sur peut-être 20 vignobles différents. En outre, chaque vignoble est divisé entre plusieurs propriétaires. La cause: les droits successoraux en France. Chaque domaine produira un vin différent à partir de chaque lopin. Chaque vin aura un nom différent et (en principe) un caractère différent. À eux seuls, ces faits rendent la Bourgogne plus difficile à comprendre que le Bordelais, où les noms du vignoble et du producteur sont identiques et interchangeables; en Bourgogne, il faut connaître chacun des deux noms.

C'est ainsi que le Bourgogne, rouge ou blanc, est un vin de spécialité à ne pas acheter sans précautions. En Bourgogne, plus que partout ailleurs, il vaut la peine de se renseigner. Si on achète d'un mauvais producteur, on comprendra vite pourquoi.

Le chardonnay de Bourgogne est plus facile à cultiver, le vin qui en est tiré est plus facile à élaborer et coûte moins cher que le Pinot noir. Il est aussi beaucoup plus fiable, mais comme la demande est forte, les prix sont élevés. Il existe plusieurs styles de ce vin. Le Chablis est le plus austère et le plus minéral des Chardonnays, mais il se complexifie et devient noisetté après plusieurs années. En Côte d'Or, le fleuron de la région, les saveurs des vins vont des arômes d'avoine et de noix pour les plus simples, à des notes évoquant le beurre et la crème d'une grande longévité pour les meilleurs. Dans la côte chalonnaise et le Mâconnais, les saveurs sont encore une fois plus simples, plus proches du melon et de la pomme. Le chardonnay est également le cépage qui donne la plupart des crémants de Bourgogne, un agréable mousseux aux nuances miellées.

L'aligoté, un cépage blanc cultivé en petites quantités, mais donnant de bons résultats, produit un vin citronné sans prétention. Il atteint rarement le calibre d'un vrai bon Chardonnay et, en général, se boit jeune.

En Beaujolais, on ne cultive que du gamay, qui donne plusieurs vins différents avec, comme base, un goût léger et agréable, juteux et très fruité. Les Beaujolais-Villages sont les plus savoureux. Le Beaujolais et le Beaujolais nouveau peuvent être aussi bons, mais manquent souvent de saveurs fruitées. Il faut tous les boire jeunes. Un Beaujolais d'un des dix meilleurs villages, connu sous le nom de cru Beaujolais, devrait avoir plus de caractère et de profondeur. Les crus les plus remarquables sont le Chiroubles léger, le Fleurie parfumé et les vins plus corsés provenant de Morgon et de Moulin-à-Vent.

CLASSIFICATIONS DU BOURGOGNE

Appellations génériques Tout comme les Bourgognes simples rouges et blancs, qui peuvent être faits à partir des raisins de toute la région, de basse catégorie, il existe deux vins rouges élaborés dans toute la Bourgogne, qu'on trouve relativement peu souvent de nos jours: le Grand Bourgogne Ordinaire et le Bourgogne passe-tout-grain. Le cépage aligoté produit un vin qui porte sa propre appellation: le Bourgogne-Aligoté.

Appellations régionales Par exemple, le Côte de Nuits-Villages ou le Côte chalonnaise. Il n'y a pas d'appellation Côte d'Or; la Côte d'Or est divisée entre la Côte de Nuits et la Côte de Beaune.

Vins de village La plupart des villages de la Côte d'Or ont leur propre appellation, par exemple Gevrey-Chambertin, comme cela existe dans d'autres régions, entre autres dans le Beaujolais.

Premier cru Ce terme s'applique aux vignobles de deuxième catégorie, et le nom du vignoble figurera sur l'étiquette. La Bourgogne compte aussi des vignobles qui ne sont pas des premiers crus, mais dont le nom apparaît sur l'étiquette. Dans un cas comme dans l'autre, le nom du vignoble est un bon indice de qualité.

Grand cru Ce sont les vins issus des meilleurs vignobles et, puisque ce sont des vins d'appellation contrôlée, ils peuvent prendre le nom du village. Le Chambertin, par exemple, est un grand cru du vignoble Le Chambertin du village Gevrey-Chambertin.

L'importance des régions

Oui, les régions sont importantes. Si vous voulez un Chardonnay, il sera plus réservé et plus vif à Chablis, plus complexe en Côte d'Or, plus ample et plus simple dans la côte chalonnaise, et léger et assez croquant dans le Mâconnais. Si les plus fins Pinots noirs proviennent de la Côte d'Or, ceux de la Côte chalonnaise ont un goût de terroir plus marqué. En Côte d'Or, chaque village a son propre style de vin et, au sein de chacun, il existe une hiérarchie des vignobles. Si, par exemple, vous voulez retrouver les saveurs du gamay, vous avez le choix entre un Beaujolais bien fruité, un des crus du Beaujolais, qui sont plus sérieux et vieilliront souvent pendant quelques années, ou les rouges provenant du Mâconnais, pour la plupart peu intéressants.

L'importance des millésimes

Oui, ils sont importants, mais le nom du producteur l'est davantage. Consultez *Coup d'œil*, ci-contre.

Quand les boire

Les meilleurs Bourgognes sont des vins-plaisirs que j'ai envie de partager avec des amis. Je ne partagerais pas ce bonheur avec des gens qui se prennent trop au sérieux. Lorsque je bois un bon Bordeaux, je me fais un point d'honneur de porter une cravate et de m'asseoir bien droit. Si vous m'offrez un verre de bon Bourgogne, j'ôterai mon veston et je me détendrai. Avec un bon Beaujolais, j'enlèverai mes chaussures.

Le prix

Il est reconnu que les bons Bourgognes coûtent cher. Cependant, si vous êtes futé (et si vous recevez de bons conseils), vous pouvez trouver des vins offrant un excellent rapport qualité-prix. L'idéal est d'opter pour un bon producteur de la Côte d'Or, mais choisissez les vins les plus simples, comme le Bourgogne rouge ou le Chorey-lès-Beaune. Le prix sera de beaucoup inférieur à celui d'appellations plus célèbres. Le vin n'aura pas autant de richesse et de complexité, mais il gardera néanmoins son élégance et son caractère soyeux. Il en va de même pour les Chardonnays. Cependant, lorsqu'il s'agit des simples Bourgognes blancs de la côte chalonnaise ou du Mâconnais, dans la plupart des cas, il vaut mieux opter pour un Chardonnay australien ou chilien.

Coup d'œil | Bourgogne

Emplacement Les vignobles de la Bourgogne forment une ceinture étroite qui s'étend du nord au sud, dans l'est de la France.

Cépages Le pinot noir pour les rouges soyeux à arôme de fraise; le gamay pour les vins juteux et fruités. Le chardonnay donne des blancs intenses et noisettés, mais qui peuvent aussi être très secs et neutres dans le cas du Chablis. L'aligoté est croquant et citronné.

Jargon local *Climat*: le site d'un vignoble individuel. *Clos*: un vignoble fermé. *Côte*: à flanc de coteau. *Domaine*: une propriété. *Négociant*: un commerçant.

Millésimes à rechercher 1999, 1998, 1997, 1996, 1995, 1993, 1990, 1989, 1988.

Millésimes à éviter (rouge) 1994, 1992.

Suggestions
ROUGES
- **Georges Dubœuf** Fleurie la Madone (cru Beaujolais) ②
- **Domaine Michel Lafarge** Bourgogne rouge ③
- **Tollot-Beaut** Chorey-lès-Beaune ③

- **Chevillon** Nuits Saint-Georges ④
- **Jadot** Beaune Teurons ④
BLANCS
- **Cave de Buxy** Montagny 1er cru ②
- **Vincent** Saint-Véran Château de Fuissé ②
- **Domaine Defaix** Chablis ③
- **Sauzet** Bourgogne blanc ④
- **Louis Carillon** Puligny-Montrachet ⑤

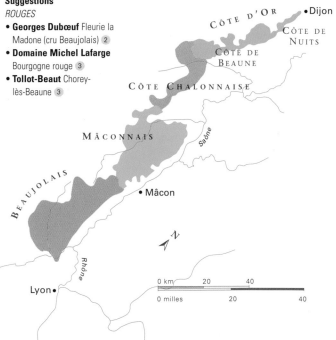

Coup d'œil | La Champagne

Emplacement La principale région vinicole du Nord de la France, au nord-est de Paris.

Cépages Le chardonnay donne de l'élégance au Champagne, le pinot noir lui confère du corps et le pinot meunier, de la souplesse. La plupart des Champagnes sont un assemblage de ces trois variétés de cépages.

Jargon local *Grand cru*: vin élaboré entièrement à partir de cépages des meilleurs vignobles de la région. *Premier cru*: vin élaboré entièrement à partir de cépages de vignobles juste un cran au-dessous de ceux qui produisent les grands crus. *Blanc de blancs*: vin blanc tiré d'un monocépage blanc, soit le chardonnay. Le Champagne blanc de blanc devrait être vif, crémeux et délicat. *Blanc de noirs*: vin blanc fait entièrement à partir des cépages noirs de la région, soit le pinot noir et le pinot meunier. Le Champagne blanc de noir devrait avoir plus de corps que les autres styles.

Millésimes à rechercher 1996, 1993, 1990, 1989, 1988.

Millésimes à éviter 1994, 1992 et 1991 ne sont pas mauvais, mais il vaut mieux choisir autre chose.

Suggestions
Tous ces producteurs offrent de bons Champagnes, qu'ils soient millésimés ou non, mais le Billecart-Salmon est particulièrement fiable et offre un bon rapport qualité-prix.
- **Lanson** non millésimé ④
- **Moët et Chandon** non millésimé ⑤
- **Louis Roederer** non millésimé ⑤
- **Bollinger** non millésimé ⑤
- **Veuve Clicquot-Ponsardin** non millésimé ⑤
- **Charles Heidsieck** non millésimé ⑤
- **Pol Roger** non millésimé ⑤
- **Henriot** non millésimé ⑤
- **Billecart-Salmon** Cuvée N F Billecart millésimé ⑤
- **Krug** non millésimé ⑤

CI-DESSUS On parle souvent de «Grande Marque» dans le cas des Champagnes, quoique cette expression soit désuète. Elle n'a jamais été une garantie de qualité, mais plutôt de renommée. À DROITE La Champagne est l'une des régions vinicoles les plus froides du monde.

Quant au Beaujolais, oui, il est abordable. Il est probablement un peu trop cher pour un vin de pays de tous les jours, mais il est délicieux lorsqu'il est de bonne qualité.

Champagne

Le Champagne est la référence mondiale en ce qui a trait aux vins pétillants. Même lorsque les producteurs australiens ou californiens ont commencé à fabriquer un style légèrement différent, le Champagne est demeuré leur point de départ, et ils utilisent souvent les mêmes cépages, soit le chardonnay, le pinot noir et le pinot meunier. C'est l'un des vins les plus renommés et, comme la plupart sont vendus sous des noms de marques réputées, ils sont parmi les plus faciles à acheter.

Le clé de la saveur d'un bon Champagne est qu'il n'est pas fruité de prime abord, mais qu'il mêle les arômes de fruit à des notes de biscuit, de pain frais, de noix ou même de chocolat, et qu'il s'adoucit et devient moelleux avec le temps, jusqu'à atteindre une merveilleuse complexité aux accents de noisette. C'est l'idéal. La méthode de production, décrite à la page 28, est ce qui donne au Champagne sa saveur… et ses bulles!

Aucun Champagne n'est semblable; certains se contentent d'être minces et acides, bref très moyens. Cela dépend en partie de la température (les étés frais et humides donnent des champagnes aux saveurs non mûres) mais surtout du producteur. Heureusement, la plupart des grands noms sont fiables de nos jours.

Il vaut la peine de laisser vieillir le Champagne, même après l'avoir acheté. Si vous conservez un Champagne non millésimé pendant six mois, il acquerra plus de rondeur; les champagnes ne sont à leur mieux que lorsqu'ils ont au moins dix ans d'âge.

L'importance des régions
Seulement si vous habitez la région et si vous voulez vous y retrouver.

L'importance des millésimes
La plupart des Champagnes ne sont pas millésimés, ce qui signifie qu'ils sont un mélange de plusieurs cuvées. Tous les

LES STYLES DE CHAMPAGNE

Le Champagne comporte trois types de qualité et de richesse.

Le Champagne **non millésimé** est le plus léger. C'est un mélange de cuvées de plusieurs années qui peut être bu dès l'achat, bien qu'il gagne à vieillir pendant six mois.

Le Champagne **millésimé** n'est produit que pendant les bonnes années. Il devrait être plus riche et plus savoureux que le non millésimé, mais il demande à vieillir pendant dix ans.

Les cuvées de luxe sont pour la plupart des millésimes. Ce sont des vins de très haute qualité, vendus dans des bouteilles spéciales et coûtant très cher. Le Dom Pérignon en est un exemple. On peut les conserver pendant des décennies.

Le Champagne **rosé** est plus corsé que le blanc, avec une saveur évoquant davantage la fraise et le pain grillé. Il existe aussi un dosage des vins pétillants (en gramme de sucre par litre), quoique la plupart du Champagne vendu soit du **brut**. Le **non-dosé** ou brut nature est extrêmement sec et le **brut zéro** à peine moins sec. Viennent ensuite l'**extra-brut**, le brut, puis l'**extra-sec**. En Champagne, **sec** signifie demi-sec, et le **demi-sec** (parfois appelé **riche**) est relativement doux.

établissements vinicoles conservent des réserves d'anciens millésimes à mélanger pour garder, année après année, un style constant. Le Champagne millésimé, dans le cas duquel le millésime a évidemment une importance, n'est produit seulement que pendant les bonnes années. Il coûte plus cher et, en principe, devrait avoir plus de profondeur, plus de caractère, plus de corps, plus de tout. Pourtant les Champagnes millésimés ne sont pas que des versions améliorées des non-millésimés. Ils devraient être plus complexes et le caractère des vins correspondant à cette année précise devrait transparaître. Consultez *Coup d'œil*, sur la page de gauche.

Quand le boire
N'importe où, n'importe quand: sur la plage, dans la baignoire, au petit déjeuner, lors d'occasions spéciales. Le Champagne millésimé est un type de vin plus sérieux que le non-millésimé, et on doit le traiter avec l'attention qu'il mérite. Dans mon cas, le Champagne me rend si heureux que j'oublie de le traiter avec respect. Le Champagne millésimé

accompagne bien les repas, et les non-millésimés sont le meilleur choix pour les soirées.

Le prix

Si vous le voulez vraiment, vous pouvez vous en offrir, quitte à économiser sur autre chose. Les Champagnes peu coûteux peuvent être sinistres, mais beaucoup de bons négociants ont d'excellents Champagnes à un prix bien inférieur à celui des grandes marques.

Vallée du Rhône

Si vous voulez des rouges généreux et épicés, d'une profondeur et d'une complexité remarquables, voici l'endroit rêvé. Tout au moins en France, parce que c'est dans la vallée du Rhône qu'on cultive la syrah, un cépage qui donne de riches saveurs fumées d'herbes sauvages. On en trouve aussi en Australie, où on l'appelle shiraz. Ainsi, si vous voulez obtenir le tableau complet des saveurs de ce cépage, comparez un bon rouge du Rhône et un Shiraz de la Barossa Valley, plus doux et au fruité

plus marqué. Voilà la différence entre les styles du Vieux et du Nouveau Monde résumés en une unique variété de cépage.

Il existe, dans la vallée du Rhône, une division entre le Nord et le Sud. Sur la carte, on dirait un entonnoir renversé: étroit vers le haut (le nord), puis s'élargissant tout d'un coup vers le bas (le sud) à la base. Dans la partie la plus étroite, seule la syrah est cultivée. Au sud, une vaste gamme de cépages sont cultivés, dont 13 d'entre eux sont autorisés à prendre appellation. Les vins du Sud n'ont pas l'austérité fumée et minérale de ceux du Nord. Ils sont plutôt plus amples et généreux, en grande partie à cause du cépage grenache, doux et juteux, qui entre dans l'assemblage. Évidemment, la production est beaucoup plus grande dans le Sud. Deux effets semblent inéluctables: les vins du nord coûtent généralement plus cher, et la qualité des vins du Sud est plus variable.

Quant aux blancs, le Rhône réserve des surprises incroyables. À partir du viognier, il produit certains des vins blancs les plus aromatiques du monde, avec des arômes floraux et abricotés, et peut-être un brin épicé. Le viognier est traditionnellement cultivé dans quelques petites aires fort prisées du nord, d'appellation

condrieu ou du vignoble de l'Aoc château-grillet.

Heureusement, les producteurs du sud se sont rendu compte que les vins issus du viognier étaient fort appréciés, mais que leur coût était trop élevé.

Ils se sont mis à le cultiver de façon plus intensive et des versions moins coûteuses font leur apparition. Elles ne sont pas aussi magiques que le Condrieu ou le Château-Grillet, mais elles manifestent les extraordinaires saveurs du cépage.

Les autres cépages blancs du nord sont le marsanne et le roussanne. Ce duo permet la production d'autres blancs secs du Nord, l'Hermitage, le Crozes-Hermitage, le Saint-Joseph et le Saint-Péray, et leur donne un ample arôme d'herbes assez inhabituel. Les blancs secs du sud varient selon le mélange de cépages utilisés, mais ils sont plus herbacés que fruités, avec parfois une douce nuance de chèvrefeuille.

La région du sud nous réserve une autre surprise: le muscat. Il donne des vins doux et dorés réunissant d'envoûtantes saveurs qui donnent l'impression de croquer le raisin, rehaussées de pétales de rose et de zeste de l'orange, et réussissant néanmoins le tour de force d'être malgré tout raffinés et

Coup d'œil │ Vallée du Rhône

Emplacement La vallée du Rhône est située dans le sud-ouest de la France. Les vignobles se répartissent entre deux régions ayant des identités propres: les versants du nord et les plaines chaudes du sud.

Cépages La syrah est le cépage rouge du nord, qui donne des vins aux arômes de fumée avec une touche minérale; les rouges du sud sont faits à partir d'un assemblage de cépages, comme la syrah et le grenache juteux, qui confèrent au vin des saveurs plus douces et plus amples. Tous les rouges du Rhône sont des variantes du style de vins épicés et généreux. Le viognier est un cépage blanc très aromatique, alors que le marsanne et le roussanne exhalent des saveurs herbacées. Le muscat est utilisé dans le sud pour élaborer des vins fortifiés dorés et doux.

Communes à prédominance de syrah (toutes situées dans le nord) Cornas, Côte-Rôtie, Crozes-Hermitage, Hermitage, Saint-Joseph.

Appellations où les rouges sont surtout des assemblages (toutes dans le sud) Châteauneuf-du-Pape, Coteaux du Tricastin, Côtes du Lubéron, Côtes du Rhône, Côtes du Rhône-Villages, Côtes du Ventoux, Gigondas, Lirac, Vacqueyras.

Appellation communale de Viognier Château-Grillet, Condrieu.

Millésimes à rechercher (rouges du nord) 1999, 1998, 1997, 1996, 1995, 1991, 1990; (rouges du sud) 1999, 1998, 1995, 1994, 1990.

Millésimes à éviter 1993, pour les rouges du nord.

Suggestions
ROUGES
• **Chapoutier** Côtes du Rhône Belleruche ②
• **Graillot** Crozes-Hermitage ②
• **Domaine Santa Duc** Gigondas Cuvée Tradition ②
• **Cuilleron** Saint-Joseph ③
• **Domaine du Vieux Télégraphe** Châteauneuf-du-Pape ③
• **Verset** Cornas ④
BLANCS
• **Guigal** Côtes du Rhône ②
• **Gaillard** Côtes du Rhône Viognier ③
• **Perret** Condrieu Coteau de Chéry ⑤
VINS DOUX
• **Domaine de Durban** Muscat de Beaumes de Venise ③

Les coteaux de l'Hermitage sont les plus célèbres du côté septentrional de la vallée du Rhône. Vers le sud, la vallée s'élargit en une vaste plaine.

élégants. Ces vins sont également fortement alcoolisés parce qu'ils sont fortifiés avec de l'eau-de-vie de vin. Le Muscat de Beaumes de Venise est le plus célèbre et le meilleur, mais si vous me permettez d'aller au-delà du Rhône pendant un moment, je vous présenterai d'autres Muscats – le Muscat de Frontignan, le Muscat de Mireval, le Muscat de Rivesaltes et le Muscat de Saint-Jean-de-Minervois.

L'importance des régions

Il y a des différences entre le nord et le sud, mais les rouges sont fondamentalement tous épicés et généreux; les blancs, à l'exception de l'aromatique Viognier, se distinguent par des arômes herbacés, peu importe d'où ils proviennent.

L'importance des millésimes

On dit parfois qu'un vin millésimé donné est meilleur dans le nord que dans le sud ou vice-versa. Mais les vins millésimés du Rhône sont rarement mauvais. Consulter *Coup d'œil* à la page 87.

Quand les boire

C'est une question d'état d'esprit et de mets. Les vins rouges de la vallée du Rhône sont des vins de temps frais; ils sont beaucoup trop robustes pour une journée d'été. On peut presque sentir la chaleur émanant de la bouteille. Ils sont parfaits avec des mets très goûteux: un plat mijoté, un steak au poivre ou quelques rondelles de saucisson.

Le Viognier accompagne bien certains mets, mais il dégage des saveurs si inattendues que vous l'apprécierez encore mieux seul. En ce qui concerne les autres blancs secs, buvez-les pour le pur plaisir de déguster une saveur unique. Ils peuvent accompagner une foule de mets. On peut boire les muscats doux fortifiés en apéritif, ce que font les Français, mais ils se marient aussi incroyablement bien avec les desserts au chocolat.

Le prix

Les meilleurs vins, comme tous les meilleurs vins, coûtent cher et leurs prix montent. L'Hermitage et la Côte-Rôtie, du nord de la vallée du Rhône, ainsi que le Châteauneuf-du-Pape, dans le sud, sont les appellations de rouge les plus coûteuses. Le Viognier et le Château-Grillet sont hors de prix. Mais il existe de nombreux vins intéressants des catégories moyenne et inférieure qui offrent un très bon rapport qualité-prix.

Les vins du sud ne sont pas tous de même qualité, le sud étant une trop grande région, et l'appellation Côtes du Rhône, qui couvre toute la région, comprend des vins allant de riches et concentrés à minces et dilués. Évitez les vins de très faible prix, car ils valent rarement la peine d'être bus et payez un peu plus pour un vin mis en bouteille par un producteur sérieux.

Vallée de la Loire

La vallée de la Loire est l'endroit où l'on trouve les caractéristiques typiques des vins français qui sont peut-être le moins imitées ailleurs dans le monde. Les blancs et les rouges sont populaires dans les restaurants parisiens, où on les consomme au lunch. Et pourquoi pas? Ils accompagnent bien les mets et leur qualité a le vent en poupe après quelques excellents millésimes dans les années 1990.

Les blancs sont les plus faciles à trouver à l'extérieur de la France. Les meilleurs sont vifs et fringants; intensité aromatique et minéralité les caractérisent en outre. En fait, la Loire produit deux versions de ce style: l'une à partir de sauvignon blanc, élaborée en Nouvelle-Zélande avec une explosion de fruits, et l'autre à partir de chenin blanc, qu'on ne trouve aussi réussie nulle part au monde.

Les deux cépages peuvent surprendre les palais non avertis, mais l'agréable fraîcheur du Sauvignon blanc a tôt fait de charmer. Le chenin blanc est un peu plus difficile à cerner, mais son

---

♙ Termes œnologiques | **Les Pouillys**

Le **Pouilly-Fumé** est le célèbre vin croquant et rafraîchissant de la Loire élaboré à partir de sauvignon blanc. Il a une pointe fumée qui lui vaut son nom. Il ne faut pas le confondre avec le **Pouilly-sur-Loire**, un vin qui ne laisse pas un souvenir impérissable, élaboré dans la même région à partir de raisins appelés chasselas. Et il ne faut pas le confondre avec le **Pouilly-Fuissé**, le **Pouilly-Loché** et le **Pouilly-Vinzelles**. Ce sont des vins à base de chardonnay, riches et beurrés, qui viennent de Bourgogne.

Coup d'œil | Vallée de la Loire

Emplacement Une vaste région s'étirant le long de la Loire, du centre de la France jusqu'à la côte ouest.

Cépages Le sauvignon blanc et le chenin blanc donnent des blancs vifs et fringants; le melon de Bourgogne est le cépage neutre du Muscadet. Le cabernet franc et le pinot noir donnent généralement des versions plus légères des rouges intenses aux arômes de cassis; le gamay est simple et léger.

Appellations Sauvignon Blanc Menetou-Salon, Quincy, Reuilly, Pouilly-Fumé, Sancerre.

Appellations Chenin Blanc Anjou Blanc, Montlouis, Saumur blanc, Savennières, Vouvray.

Appellations Chenin Blanc doux Bonnezeaux, Coteaux de l'Aubance, Coteaux du Layon, Montlouis, Quarts de Chaume, Vouvray.

Jargon local *Sec, moelleux, liquoreux, mousseux. Sur lie:* vieilles vignes. *Crémant:* vin mousseux élaboré selon la méthode traditionnelle.

Millésimes à rechercher 1998 (pas pour les vins doux), 1997, 1996, 1995, 1990, 1989.

Nantes Tours Loire
① ② ③ ④

① Muscadet
② Anjou-Saumur
③ Touraine
④ Sancerre et Pouilly-Fumé

Suggestions

ROUGES
- **Château de Fesles** Anjou Rouge Vieilles Vignes ②
- **Domaine Filliatreau** Saumur-Champigny ②

BLANCS SECS
- **Domaine Richou** Anjou Blanc ①
- **Sauvion et Fils** Muscadet de Sèvre-et-Maine sur lie ①
- **Domaine des Aubuisières** Vouvray ②
- **Crochet** Sancerre ②
- **Château de Tracy** Pouilly-Fumé ③

BLANCS DOUX
- **Baumard** Quarts de Chaume ⑤
- **Huet** Vouvray Clos du Bourg Moelleux ⑤

BLANC MOUSSEUX
- **Langlois-Château** Crémant de Loire ③

1995
Domaine des Aubuisières
BF
Le Marigny
VOUVRAY
APPELLATION VOUVRAY CONTRÔLÉE
SEC
BERNARD FOUQUET, VITICULTEUR
VOUVRAY (INDRE ET LOIRE) FRANCE

CI-DESSUS Le Domaine des Aubuisières produit de l'excellent Vouvray allant de sec à doux. À GAUCHE Le sauvignon est le principal cépage de plusieurs communes voisines de la ville de Sancerre, sur la colline.

acidité prononcée et sa minéralité se transforment, dans les meilleurs exemples, pour donner un blanc riche et miellé, qui sent bon le coing. Les vins plus sérieux de Vouvray et Savennières ont besoin de vieillir en bouteille pendant au moins plusieurs années. Le Saumur, plus léger, peut être bu jeune.

Le chenin blanc produit aussi de splendides vins doux à partir de cépages touchés par la pourriture noble. À rechercher: le Vouvray *moelleux*, le Quarts de Chaume, le Bonnezeaux et le Coteaux du Layon. Entreposez-les dans un endroit sombre pendant une longue période, parce qu'ils ont vraiment besoin de vieillir en bouteille, dix ans ou plus, à partir de la date du millésime pour développer une merveilleuse richesse moelleuse de coing et de miel.

Il existe un troisième grand vin dans la Loire, le Muscadet. Le cépage est le melon de Bourgogne, et il n'a pas beaucoup de saveur. Il est aussi neutre qu'un vin blanc peut l'être, aussi est-il étonnant qu'il y ait plusieurs appellations de Muscadet différentes avec, en principe, des styles légèrement différents. De toute façon, il faut rechercher sur l'étiquette l'expression «sur lie», ce qui signifie que le vin a vieilli en développant certains dépôts, acquérant ainsi notamment un agréable goût de levure, la lie étant un dépôt de levures mortes après fermentation. Ce type de vieillissement donne un peu plus de nerf et de profondeur au vin, et fait toute la différence entre une neutralité intéressante ou ennuyeuse.

Quant aux rouges de la Loire, il faut se rappeler que ce sont des vins typiquement français. Ils ont beaucoup de saveurs fruitées, mais n'ont pas le style Nouveau Monde. Ils sont souvent herbacés, avec des nuances de groseille, de framboise et même de prune, mais ils sont beaucoup plus réservés que n'importe quel vin produit en Australie ou en Californie. Et si quelques-uns sont assez corsés, la plupart sont décidément légers par rapport aux rouges du Nouveau Monde.

Ce sont des vins que j'aime. Ils sont tout à fait délicieux, offrent un très bon rapport qualité-prix et se boivent très bien en mangeant. Le principal cépage est le cabernet franc. Il y a aussi un peu de pinot noir, qui est ici plus rustique que le Bourgogne rouge, mais sans ce caractère délicatement parfumé ou soyeux. Le Gamay ressemble au Beaujolais de base, mais s'il

vient d'un bon producteur, il sera plus corsé et meilleur.

La Loire produit aussi d'intéressants mousseux élaborés selon la méthode champenoise. Les blancs goûtent davantage la pomme verte que le Champagne, et certains mousseux rosés ont un goût de fraise. La Loire fait plus triste figure quand elle nous propose son rosé d'Anjou doucereux, rarement excitant. Le Cabernet d'Anjou est généralement plus sec, plus goûteux et plus agréable.

L'importance des régions

Différentes régions produisent des cépages différents. Le Sancerre et le Pouilly-Fumé dans l'est produisent du sauvignon blanc et du pinot noir; l'Anjou et la Touraine, au centre, produisent surtout du chenin blanc et du cabernet franc, quoique les meilleurs blancs de Touraine soient les Sauvignons blancs. Dans l'Ouest, le pays nantais produit du melon pour le Muscadet.

L'importance des millésimes

Les millésimes sont importants et offrent un tableau complexe. Le chenin blanc et les cépages rouges sont excellents pendant les années plus chaudes, mais s'il fait trop chaud, le sauvignon blanc devient mou. Les grands vins doux ne sont produits que pendant les années les plus favorables. Consultez *Coup d'œil* à la page 89.

Quand les boire

Le Chenin Blanc et les rouges s'entendent à merveille avec l'assiette: leur équilibre et leur subtilité apportent de l'éclat aux mets. Les rouges, en particulier, sont parfaits à consommer en été et sont assez bons pour accompagner de grands repas. Le Muscadet n'est à envisager que pour accompagner les fruits de mer, et aucun vin ne le surpasse alors.

Le prix

Le Chenin blanc offre un très bon rapport qualité-prix, tout comme les rouges. Le Sancerre et le Pouilly-Fumé sont plutôt coûteux; d'autres vins élaborés à partir du sauvignon blanc coûtent moins cher. Le Muscadet est trop onéreux pour la qualité qu'il offre.

Alsace

Aucune région du monde ne peut rivaliser avec l'Alsace pour ce qui est des blancs aromatiques. Ces vins ont tous en commun un caractère épicé et gras qui n'a pas d'équivalent ailleurs en France ni dans le reste du monde.

Le Gewürztraminer est ici le cépage le plus épicé et le plus parfumé; il est la référence des vins blancs aromatiques. Même un cépage comme le pinot blanc, qui partout ailleurs donne un vin sobre et posé, devient attrayant en Alsace. Le sylvaner, qui est normalement un cépage léger, sec et plutôt neutre, a ici une touche d'épices. Le riesling (citronné et toasté en Australie, et minéral, fumé et fleurant bon la pêche en Allemagne), est ici épicé. Le Pinot gris vient en deuxième place après le Gewürztraminer par sa richesse, quoiqu'il tende à être davantage marqué par des notes de miel, de fumé, de terre que par la rose et le litchi, comme ce dernier.

L'exception au style riche et épicé est la très petite production de Muscat sec en Alsace, mais qui donne des vins d'un arôme fruité floral, lesquels, à leur façon, sont tout aussi intenses que ceux du Gewürztraminer.

Tous ces vins sont secs, ce qui signifie qu'ils accompagnent bien les repas, particulièrement les plats épicés, ou ceux qui allient le sucré et le salé.

Il existe aussi des vins blancs doux. Les plus riches sont faits à partir de raisins affectés de pourriture noble, mais ils sont rares et coûtent cher. Les Alsaciens les consomment avec le foie gras. On trouve aussi quelques rouges légers, élaborés à partir de pinot noir; ils ressemblent davantage aux rosés foncés, sont très attrayants, mais ne peuvent rivaliser avec la qualité des blancs.

🍷 Termes œnologiques | **Les vendanges tardives**

Les raisins qu'on laisse se développer au-delà du temps normal des vendanges développent une surmaturation si la température le permet. Les vins d'Alsace élaborés à partir de ces raisins sont appelés **Vendange tardive**; ils ont beaucoup de corps et sont fortement alcoolisés. Les vendanges tardives renferment (par définition) une bonne dose de sucre, et peuvent même être très liquoreux. Les vins liquoreux succulents élaborés à partir de raisins affectés par la pourriture noble sont appelés **Sélection de Grains Nobles**. Tous ces vins peuvent vieillir pendant dix ans ou plus.

Coup d'œil | Alsace

Emplacement Dans le nord-est, à la frontière de l'Allemagne.

Cépages Les cépages blancs, par ordre croissant d'intensité et de saveurs épicées, sont le sylvaner, le pinot blanc, le riesling, le pinot gris (parfois appelé ici tokay-pinot gris), le muscat (plus floral qu'épicé) et le gewürztraminer. On trouve aussi du pinot noir dans l'élaboration des rouges légers. La plupart des vins sont nommés d'après le nom du cépage.

Jargon local *Grand cru*: la classification officielle des 50 meilleurs vignobles qui produisent des vins offrant le plus de profondeur et d'intérêt. *Edelzwicker*: un assemblage léger de plusieurs raisins, en général peu excitant. *Réserve spéciale*: cette expression et d'autres semblables n'ont aucune valeur juridique. Les producteurs les utilisent pour distinguer les vins, mais ce n'est pas une garantie de qualité.

Millésimes à rechercher 1998, 1997, 1995, 1990, 1989.

Millésimes à éviter 1994 et 1991 ne sont pas intéressants.

Suggestions
BLANCS
- **Cave de Pfaffenheim** Tokay-Pinot Gris ②
- **Schoffit** Gewurztraminer Cuvée Caroline ②
- **Rolly Gassmann** Muscat Moenchreben ③
- **Domaine Paul Blanck** Riesling Furstentum Vieilles Vignes ④
- **Zind-Humbrecht** Gewurztraminer Clos Windsbuhl ④
- **Domaine Weinbach** Tokay-Pinot Gris Cuvée Sainte-Catherine ④

BLANCS
- **Cave coopérative de Turckheim** Gewurztraminer ②
- **Josmeyer** Pinot Blanc Mise du Printemps ②
- **Albert Mann** Riesling ②
- **Ostertag** Sylvaner Vieilles Vignes ②

Les villages alsaciens semblent tout droit sortis du passé. Cette enseigne en fer ouvragé annonçant le cellier d'un producteur de vins est une des caractéristiques de ces rues étroites aux pavés usés par le temps.

① Bergerac
② Cahors
③ Minervois
④ Corbières
⑤ Fitou
⑥ Bandol

Coup d'œil | Sud de la France

Emplacement Les vignobles sont situés dans trois régions: le Sud-Ouest, le Languedoc-Roussillon et la Provence.

Cépages Dans le Sud-Ouest, le cabernet sauvignon, le cabernet franc et le merlot sont les rouges les plus fréquemment retrouvés. Le malbec est célèbre dans le Cahors. Le tannat et le négrette sont des variétés locales étranges. Les blancs sont souvent élaborés à base de sémillon et de sauvignon blanc, mais il existe aussi de nombreuses variétés locales de cépages. Le carignan est le rouge traditionnel du Languedoc-Roussillon, mais on trouve aussi maintenant des rouges du Rhône de meilleure qualité comme le grenache, la syrah, le mourvèdre et le cinsaut. Les raisins les plus prisés dans le monde, blancs et rouges, acquièrent ici leurs lettres de noblesse. La Provence produit les mêmes variétés de rouge, en plus du cabernet sauvignon.

Suggestions
ROUGES
• **Domaine Sainte-Eulalie** Minervois ①
• **Domaine Gauby** Côtes du Roussillon ②
• **Château de Lastours** Corbières, Cuvée Simon Descamps ②
• **Mas Jullien** Coteaux du Languedoc, Les États d'Âme ②
• **Alquier** Faugères ②
• **Pech Redon** La Clape, Alicante ②
• **Château de Pibarnon** Bandol ③
BLANCS SECS
• **Domaine de la Baume** Vin de Pays d'Oc, Sauvignon blanc ①
• **Domaine de Cauhapé** Jurançon ②
BLANC DOUX
• **Domaine Cazes** Muscat de Rivesaltes ③

L'importance des régions
Aucune importance: tous les vins sont du style unique à l'Alsace.

L'importance des millésimes
Les merveilleux vins doux ne sont produits que pendant les meilleures années, et les rouges ont besoin d'étés chauds. Autrement, il ne faut pas trop se préoccuper des millésimes.

Quand les boire
N'importe quand. Ils accompagnent une grande variété de mets et tout le monde semble les apprécier. Ils ont un côté suffisamment inhabituel pour faire de l'effet lors d'occasions spéciales. Le Riesling est le plus polyvalent au repas; le Gewürztraminer et le Pinot gris sont particulièrement adaptés à la cuisine de Chine et d'autres pays d'Asie. Ils sont également délicieux, bus seuls, et le Muscat est un réel délice.

Le prix
Ce ne sont pas les vins les moins chers, et les meilleurs sont plutôt coûteux, mais ce sont de bons achats. Même le plus simple de ces vins est un bon achat.

Sud de la France

Voilà où tout se passe en France, en ce moment, là où le Vieux Monde rencontre le Nouveau. Dans les régions de vins de pays, particulièrement celle du vin de pays d'Oc, les viniculteurs australiens, ou formés à l'école australienne, attirés par l'immense potentiel des vignobles, débarquent en nombre pour y produire des vins exubérants aux arômes fruités. À la différence des producteurs des régions d'AC qui préconisent des assemblages de variétés traditionnelles de cépages, ils élaborent des vins à partir d'une variété unique, comme le cabernet sauvignon, le chardonnay et le sauvignon blanc. Ils utilisent aussi la syrah et un peu de viognier. Bref, tout ce qui a le potentiel d'une grande qualité et d'une grande saveur.

Cette influence se fait aussi sentir dans les vins d'AC traditionnels du sud-ouest, du Languedoc-Roussillon et de Provence. De plus en plus de producteurs recourent à des techni-

Aux pieds du château médiéval d'Aiguilar, les vignes de Carignan produisent des cépages pour élaborer les rouges les plus fascinants du Fitou.

ques améliorées pour tirer le meilleur de la plupart des variétés de cépages locaux de ces régions, bien que les vins gardent résolument le goût des vins Vieux Monde. Dans la majeure partie du sud-ouest, les saveurs sont influencées par le Bordelais. Mais plus on s'en éloigne, plus les vins sont très particuliers, souvent robustes et aux arômes d'herbes sauvages, montrant de plus en plus les avantages de la fraîcheur moderne. J'aime les arômes de fruits poussiéreux des vins traditionnels, lorsqu'ils sont de bonne facture, mais j'aime aussi la verve enlevante de ces nouveaux styles de vins de pays.

L'importance des régions
Étant donné la différence entre les styles de l'Ancien et du Nouveau Monde, les régions sont très importantes. Dans le cas des Bergerac et des Côtes de Duras, dans le sud-ouest, on obtient les équivalents des Bordeaux rouges et blancs. Un peu plus loin de Bordeaux, à Cahors et Madiran, on trouve des rouges sauvages corsés, épicés et tanniques.

En Languedoc-Roussillon, les rouges sont épicés et souvent herbacés, sentant la garrigue tout en étant parfois plutôt réservés et austères. Ce sont les vins du Fitou, du Minervois, de Corbières, des Faugères, des Costières de Nîmes, de Saint-Chinian, des Coteaux du Languedoc et des Côtes du Roussillon.

La Provence, avec les appellations de Bandol, Côtes de Provence, Coteaux d'Aix-en-Provence et Baux-de-Provence, produit des rouges épicés, chaleureux, évoquant le cassis, ainsi que de nombreux bons rosés. Le cépage dominant détermine souvent le style: le cinsaut produit le rosé le plus pâle, et la syrah, un rosé et un rouge des plus fruités.

Les vins du pays d'Oc et d'ailleurs dans le sud sont, en général, des interprétations plus juteuses et plus directement fruitées de ces styles de rouges et de rosés, et ils ajoutent aussi à leur répertoire des vins blancs aromatiques qui goûtent les fruits mûrs et les noix.

Les blancs traditionnels vont des vins très secs et neutres à ceux qui ont une touche d'herbes sauvages; le Jurançon peut être délicatement parfumé. Les rosés ont une touche de fraise et également d'herbes sauvages. La Blanquette de Limoux, un mousseux, est rafraîchissante et goûte la pomme. Il y a aussi des Muscats dorés fortifiés, de Frontignan, Mireval, Rivesaltes et Saint-Jean-de-Minervois et, tout près de Bordeaux, les Monbazillac doux et dorés qui s'apparentent aux Sauternes.

L'importance du millésime
Le millésime n'est pas important, sauf en cas d'année exceptionnelle.

Quand les boire
Quand on veut. Les rouges peuvent être un peu trop corsés par temps chaud, mais les blancs et les rosés sont parfaits.

Le prix
Ils sont abordables, sauf pour quelques «vins-cultes».

Italie

L'ITALIE POSSÈDE ses propres variétés de cépages et ses propres méthodes, qui s'améliorent sans cesse. Des noms célèbres comme Soave, Valpolicella et Chianti retrouvent l'éclat de leur réputation ternie, tandis que le sud se refait une renommée grâce à des vins peu coûteux, débordant de caractère.

L'Italie ne produit pas vraiment les mêmes vins que les autres pays. Même lorsque les producteurs italiens cultivent des cépages de réputation internationale, comme le cabernet ou le chardonnay et ont recours à des techniques classiques comme le vieillissement dans des fûts de chêne nouveaux, ils confèrent à leurs vins une touche typiquement italienne.

Quand opter pour un style italien? Tout simplement en contemplant un bon plat. Les rouges ont un fruité de cerise aigre-douce qui fait saliver, et les blancs très secs et neutres sont parfaits pour accompagner les mets les plus délicats. Les blancs sont de magnifiques apéritifs, mais les rouges doivent être bus pendant un repas.

Piémont et Nord-Ouest

Si vous aimez les rouges puissants et parfumés qui viennent à maturité de la plus belle façon, voilà la région à privilégier. Le nebbiolo est le cépage tout indiqué et, si vous en avez les moyens, le Barolo comblera vos aspirations.

CLASSIFICATIONS ITALIENNES

Le système italien s'inspire du modèle français. DOC est l'équivalent d'AC en France.

Denominazione di Origine Controllata e Garantita (DOCG) En principe, les vins classiques d'Italie, limités à quelques régions et avec de sévères restrictions sur le rendement et les méthodes utilisées.

Denominazione di Origine Controllata (DOC) Ce sont les principales appellations, semblables aux régions d'AC de France. Les variétés de cépages, le rendement, les sites des vignobles et les méthodes de production sont tous réglementés.

Indicazione Geografica Tipica (IGT) Une nouvelle classification pour les vins ayant une identité régionale, semblable aux vins de pays français. Les vins IGT deviennent de plus en plus nombreux au fur et à mesure que l'idée s'implante.

Vino da tavola Ce sont en général les vins les plus simples qui répondent à peu de réglementation. Certains producteurs offrent comme vins de table des vins spectaculaires qui ne respectent pas les critères de la DOC, et qui ne sont pas parmi les moins chers des *vini da tavola*.

Coup d'œil | Nord-ouest de l'Italie

Emplacement Le Piémont est la région centrale du nord-ouest de l'Italie, et la plus importante.

Cépages Le nebbiolo, le barbera et le dolcetto donnent des rouges d'un style aigre-doux rafraîchissant, le nebbiolo étant le plus corsé et le plus parfumé. Spanna est un surnom local du nebbiolo. Parmi les blancs, l'arneis est plus aromatique; le muscat (moscato, en italien) est très aromatique et est utilisé dans les vins doux et pétillants, et le cortese est sec et vif.

Régions à prédominance de nebbiolo Barbaresco, Barolo, Carema, Gattinara, Langhe, Nebbiolo d'Alba.

Régions à prédominance de barbera Le barbera est cultivé partout dans le nord-ouest de l'Italie. Parmi les DOC, le Barbera d'Alba et le Barbera d'Asti.

Régions à prédominance de dolcetto Parmi les DOC, le Dolcetto d'Acqui, le Dolcetto d'Alba et le Dolcetto d'Asti.

Jargon local *Bricco*: un excellent vignoble au sommet d'une colline. *Sori*: un vignoble sur le versant d'un coteau, face au sud (c.-à-d. qui reçoit le plus de lumière). *Spumante*: pétillant. *Riserva*: vin gardé à vieillir avant d'être vendu.

① Barolo et Barbaresco
② Asti

Millésimes à rechercher 1999, 1998, 1997, 1996, 1995 (sauf pour le Dolcetto), 1990.

Millésimes à éviter Les vins de 1994, 1993, 1992 et 1991 sont généralement de piètre qualité.

Suggestions
ROUGES
• **Bava** Barbera d'Asti, Arbest ②
• **Albino Rocca** Dolcetto d'Alba ②
• **Elio Altare** Dolcetto d'Alba ②
• **Vajra** Langhe ③
• **Aldo Conterno** Barbera d'Alba, Conca Tre Pile ③
• **Ascheri** Barolo ③
• **Pio Cesare** Barbaresco ⑤
• **Domenico Clerico** Barolo, Ciabot Mentin Ginestra ⑤
BLANCS
• **Giuseppe Rivetti** Moscato d'Asti, La Spinetta ②
• **Giacosa** Roero Arneis ③

PHOTOGRAPHIE *Le nebbiolo tire son nom du mot italien* nebbia, *brouillard, parce qu'il mûrit tard en automne, lorsque les collines sont embrumées.* CI-CONTRE *Les Barolos les meilleurs et les plus chers, comme la Cicala d'Aldo Conterno, sont élaborés à partir d'un cépage unique.*

Le Barolo est un rouge de fort calibre. Imaginez des parfums de chocolat et de cerises, de prunes et de tabac, de goudron et de roses: voilà ce à quoi il ressemble. Il lui fallait auparavant des années de vieillissement, mais une nouvelle génération de producteurs modernes élabore des vins qui peuvent se consommer bien plus jeunes et qui sont beaucoup moins tanniques et sévères. Les autres vins issus du nebbiolo – le Barbaresco, le Langhe, le Nebbiolo d'Alba, le Carema, le Gattinara et le Spana – vont de mûrs et souples à robustes et prêts à boire.

Ce n'est pas le nebbiolo, mais la barbera qui prédomine dans le nord-ouest. Il se caractérise par sa forte acidité et son tanin, ainsi que par des saveurs de prune et de raisin pas tout à fait mûr; les meilleurs vieillissent bien, mais beaucoup peuvent être bus jeunes. Le troisième cépage rouge d'importance est le dolcetto, plus savoureux et fruité que les deux autres, mais toujours avec ce côté fringant typiquement italien et souvent une bonne touche de tanins.

Les blancs ne sont pas très intéressants ici, à l'exception de l'Asti, délicieusement fruité, au bon goût de raisin, et d'autres vins pétillants élaborés à partir de muscat (moscato). Il existe quelques Arneis aromatiques et des Gavi rafraîchissants mais trop chers, à base de cortese, mais ce sont les rouges qui dominent.

L'importance des régions

Les régions sont importantes, car les styles varient. Le Barolo est le plus grand des Nebbiolo, suivi du Barbaresco et d'autres encore, mentionnés ci-dessus. Le Dolcetto d'Asti et le Dolcetto d'Acqui ont tendance à être plus légers que le Dolcetto d'Alba. Le Barbera d'Alba et le Barbera d'Asti sont les meilleurs Barbera.

L'importance des millésimes

Ils le sont pour les meilleurs rouges. Voir *Coup d'œil*, p. 95.

Quand les boire

Pour les rouges, au repas; les meilleurs, excellents mais chers, lors d'occasions spéciales. L'Asti et les autres blancs doux faits à base de muscat se boivent en été ou accompagnent des desserts riches.

Le prix

Les meilleurs Barolos et Barberas sont incroyablement chers. Optez pour un Nebbiolo assez simple, d'un bon producteur, mais il sera quand même coûteux. Les Barberas et les Dolcettos sont moins chers; l'Asti est peu coûteux et satisfaisant.

Nord-Est de l'Italie

C'est le pays du vin blanc, quoiqu'on y produise aussi du rouge. Le style des vins blancs varie de légers et nerveux en altitude dans l'Alto Adige à plus substantiels vers le sud et l'est, en Vénétie et dans le Frioul. N'oublions pas la tendance italienne à élaborer des blancs neutres. Même avec des raisins aromatiques comme le sauvignon blanc, on n'obtient rien du mordant des vins de Nouvelle-Zélande. Le Pinot Grigio est généralement léger et croquant, ce qui le différencie du Pinot gris d'Alsace. Le Prosecco pétillant est frais et léger.

Dans cette région, beaucoup de vins sont élaborés à partir d'une seule variété de raisins et sont nommés d'après la variété en question, ce qui permet de deviner facilement leur saveur. Les Soave sont l'exception majeure. Élaborés à partir de raisins garganega et trebbiano, ce sont des blancs très secs et neutres, typiquement italiens. Ces vins peuvent avoir beaucoup de classe et étonnent par leur profondeur et leur aptitude au vieillissement, mais la plupart sont légers. Un Soave Classico du cœur de la région sera simple et agréable.

Les rouges, y compris le Valpolicella et le Bardolino de la Vénétie, sont, pour la plupart, principalement légers, mais peuvent exhaler des saveurs très caractéristiques. Les vins élaborés à partir de cépages de réputation internationale comme le merlot, sont presque toujours beaucoup plus légers que les versions des autres pays. Cependant, un Valpolicella Recioto sera doux, riche et probablement merveilleux. C'est un bon achat. Il existe un Recioto de Soave qui est tout aussi bon. L'Amarone, rouge corsé fascinant à la fois âpre et fougueux, ressemble au Recioto di Valpolicella, mais il est sec.

L'importance des régions

Les régions sont très importantes, car chacune a son propre style. Le Haut-Adige produit les vins les plus légers. Ceux du

Le raisin est partiellement séché sur des chevalets afin d'en concentrer la saveur pour la fabrication des Valpolicella de style Recioto et Amarone.

Trentin sont légèrement plus ronds; ceux du Frioul sont les plus intenses. Le Valpolicella, le Bardolino et le Soave de la Vénétie sont les plus célèbres. Dans cette région, la qualité a été compromise par une surproduction, mais de nombreux producteurs continuent à élaborer des vins qui lui ont valu sa réputation. En achetant des vins étiquetés Classico, on ne risque pas d'être déçu.

L'importance des millésimes

Les millésimes varient, mais il n'est pas nécessaire de s'en soucier, sauf si on achète un Recioto ou un Amarone, ou encore les blancs les plus chers. Consulter *Coup d'œil*, ci-contre.

Quand les boire

Les blancs sont bons en apéritif et accompagnent bien les repas légers. Les rouges légers conviennent aux mets simples comme la pizza et les pâtes. Les Recioto et les Amarone se réservent pour les occasions spéciales. L'Amarone doit vieillir en bouteille, dix ans si possible.

Le prix

Ils ne sont pas tous d'un bon rapport qualité-prix: les vins du Frioul et du Haut-Adige sont chers pour la qualité qu'ils

Coup d'œil | Nord-Est de l'Italie

Emplacement La Vénétie et le Frioul-Vénétie Julienne sont situés près de Venise. Plus à l'intérieur des terres, le Trentin-Haut-Adige s'étend des Alpes autrichiennes vers le sud.

Cépages Le garganega et le trebbiano produisent le Soave et d'autres blancs neutres. Le corvina rouge est la principale variété de cépage du Valpolicella et du Bardolino. Le Haut-Adige élabore plusieurs blancs locaux, ainsi qu'un Traminer (Gewürztraminer) léger. Le tocai est un cépage blanc du Frioul, plein de caractère. Les variétés de cépages blancs de classe internationale sont le pinot bianco, le pinot grigio, le chardonnay et le sauvignon blanc. Les rouges sont le merlot, le pinot noir et le carbernet-sauvignon.

Jargon local *Classico*: provenant du cœur de la région, donc de la meilleure partie. *Recioto*: les Soave et les Valpolicella doux, produits à partir de raisins surmûris. *Amarone*: des Recioto, issus de la fermentation de raisins surmûris passerillés. *Ripasso*: vin ordinaire qui séjourne sur des lies d'Amarone, ce qui élève son degré d'alcool et lui confère une vivacité additionnelle.

① Bardolino   ③ Soave
② Valpolicella

Millésimes à rechercher (Amarone) 1999, 1997, 1995, 1993, 1990.

Millésimes à éviter (Amarone) 1992, 1991.

Suggestions
ROUGES
- **Tedeschi** Valpolicella Classico Superiore ②
- **Zenato** Valpolicella Superiore Ripasso ②
- **Foradori** Teroldego Rotaliano ②
- **Villa Russiz** Collio Merlot Graf de la Tour ③
- **Allegrini** Amarone della Valpolicella Classico ④
BLANCS
- **Pieropan** Soave Classico Superiore ②
- **Jermann** Pinot Bianco ③
- **Mario Schiopetto** Collio Tocai Friulano ④
- **Anselmi** Recioto di Soave ④
PÉTILLANT
- **Ferrari** Brut ④

L'intense Tocai Friulano de Mario Schiopetto est un blanc très parfumé avec de délicieuses saveurs d'agrumes, de poire et d'herbes.

offrent. Certains vins de Vénétie, surtout les Valpolicella et les Soave Classico, bien choisis, sont abordables.

Toscane et centre de l'Italie

Le Chianti est de loin le vin le plus célèbre de cette région, et peut-être de l'Italie. C'est l'essence même des styles de vins rouges italiens au caractère de cerise douce-amère avec, en plus, une touche de feuilles de thé et un soupçon de violette, ainsi qu'une bonne structure de tanin. Et sa qualité augmente de façon fulgurante.

Le secret de la plupart des rouges de cette région de l'Italie, y compris du Chianti, est le raisin sangiovese. Il permet d'élaborer différents vins, des plus légers, les *vini da tavola* à très faible prix aux plus riches et plus chers, le Brunello di Montiacino et le Vino Nobile di Montepulciano, deux DOCG. Ces deux vins doivent vieillir longuement pour permettre à leur acidité et à leurs tanins de s'adoucir. Certaines versions plus douces, comme le Rosso di Montalcino et le Rosso di Montepulciano, peuvent être bues plus jeunes. Le Morellino di Scansano a un bon goût sec de cerise; le Carmignano est élégant et sérieux.

Le montepulciano (ne pas confondre avec la ville toscane du même nom) est l'autre cépage important d'Italie. Il permet d'élaborer des vins fruités et savoureux aux saveurs de prune. Le meilleur Montepulciano d'Abruzzo est bon et corsé. Les Rosso Conero et Rosso Piceno des Marches, goûteux, sont issus d'un mélange de montepulciano et de sangiovese.

Dans ces régions, les blancs sont légers, secs et neutres: le Vernaccia di San Gimignano, le Verdicchio, le Frascati et l'Orvieto sont les plus connus. Ils peuvent tous être attrayants et, mis à part les vins de très haute qualité, ils se valent tous.

Le Lambrusco blanc ou rouge est léger et pétillant. Le meilleur est sec en bouche et mordant, mais la plupart des Lambrusco exportés sont des édulcorés et, finalement assez insipides.

L'importance des régions

À l'exception des supertoscans et des vins «d'auteur» (voir cidessous), il existe en Toscane un style de base pour le vin rouge. Considérons les régions de façon hiérarchique, en termes de qualité et de prix. En premier, on trouve le Vino Nobile di Montepulciano et le Brunello di Montalcino. Viennent ensuite le Chianti Classico et le Carmignano, puis les autres Chianti. On trouve alors des DOC plus simples comme le Morellino de Scansano et les vins de table. Les rouges à base de Montepulciano ont un goût différent, plus riche et plus corsé. Les blancs de tous les jours se ressemblent plutôt, mais les bons Verdicchio et Orvieto en valent la peine.

L'importance des millésimes

En tenir compte dans le cas des meilleurs rouges. Voir *Coup d'œil*, p. 99.

Quand les boire

Les blancs sont d'excellents vins de tous les jours. Les rouges s'allient bien avec les plats costauds. Les vrais bons rouges ont besoin de vieillir quelques années en bouteille.

Le prix

Variable. Les rouges de grande qualité sont fort prisés. Les vins moins chers offrent un bon rapport qualité-prix; il est inutile de s'en priver.

Termes œnologiques | **Supertoscans et vins d'«auteur»**

Il y eut une loi italienne qui, entre autres aberrations, obligeait les producteurs toscans à ajouter des cépages blancs à leur Chianti. Les meilleurs producteurs refusèrent et se rebellèrent. Ils n'ont aucunement essayé de se conformer aux réglementations et ont plutôt expérimenté d'autres cépages comme le cabernet sauvignon, interdits dans l'élaboration de vins DOC, et ont fait vieillir leurs vins dans des tonneaux de chêne jeune, ce qui était aussi interdit. Ils classifièrent leurs vins comme de simples vini da tavola, leur attribuèrent des noms fantaisistes comme Sassicaia ou Tignanello, et les vendirent très cher. Ces vins sont devenus les **supertoscans** ou les **Super vini da Tavola**. Maintenant, les réglementations ont changé et certains d'entre eux sont devenus des DOC ou, plus souvent, des IGT. Mais ces grands producteurs n'ont jamais cessé de faire des expériences, et sont aussi réputés pour leurs vins traditionnels, comme le Chianti, que pour leurs vins issus de cépages connus à l'échelle internationale comme le cabernet, la syrah, le merlot, le pinot noir, le chardonnay et le viognier.

Coup d'œil | Centre de l'Italie

Emplacement Ce sont les régions vinicoles qui forment le «mollet» de la botte italienne. La Toscane est la plus importante.

Cépages En cépage rouge surtout le sangiovese. Le montepulciano est cultivé dans les Marches et les Abruzzes. Le trebbiano, le verdicchio et le vernaccia sont les principaux cépages blancs. Le cabernet-sauvignon et le chardonnay sont bien établis et les producteurs expérimentent plusieurs variétés connues à l'échelle mondiale.

Jargon local *Riserva*: vin vieilli plus longtemps avant sa mise en marché. *Classico*: provenant de la partie centrale, la meilleure d'une région. *Rufina*: la meilleure sous-région du Chianti après le Chianti Classico. Les autres sont Colli Aretini, Colli Fiorentini, Colli Senesi, Colline Pisane et Montalbano.

Millésimes à rechercher 1999, 1998, 1997, 1996, 1995, 1993, 1990.

Millésimes à éviter 1992 est généralement à éviter.

① Chianti
② Verdicchio
③ Orvieto

Suggestions
ROUGES
- **Cornacchia** Montepulciano d'Abruzzo ②
- **Castello di Brolio** Chianti Classico ②
- **Avignonesi** Vino Nobile di Montepulciano ③
- **Col d'Orcia** Rosso di Montalcino ③
- **Umani Ronchi** Rosso Conero, Cumaro ③
- **Castellare** Chianti Classico Riserva ③
- **Argiano** Brunello di Montalcino ④
- **Isole e Olena** Cepparello ⑤
BLANCS
- **La Carraia** Orvieto ②
- **Antinori** Cervaro della Sala ④

Termes œnologiques | Vino santo

Les **vino santo** (vin saint), traditionnellement une spécialité toscane, mais qu'on trouve dans toute l'Italie, sont élaborés à partir de trebbiano, de malvoisie et d'autres cépages passerillés. Ils peuvent être secs ou doux et selon nos dispositions, servis en apéritif ou comme vin de dessert. Les meilleurs sont vraiment divins: des vins doux avec des arômes de noix, d'abricot sec et de zeste d'orange confit.

PHOTO *Les collines, les peupliers, les villas et les vignobles donnent tout son cachet à la Toscane.*

Coup d'œil │ Italie méridionale

Emplacement Les Pouilles, la Campanie, le Basilicate et la Calabre, qui forment le bout du pied et le talon de la botte italienne, et les îles de Sicile, de Sardaigne, de Pantelleria et de Lipari.

Cépages L'alglianico sombre, le somptueux negroamaro et le riche nero d'avola sont les cépages rouges les plus excitants, suivis du primitivo, robuste et poivré. Le cannonau est le cousin sarde du grenache. Les cépages blancs locaux sont le greco, le fiano, le torbato, le nuragus, le vermentino, le vernaccia, le malvoisie et le catarratto. Le muscat donne de délicieux vins doux.

① Salice Salentino
② Copertino
③ Marsala

Régions de vins fortifiés Marsala, Moscato di Pantelleria.

Suggestions
ROUGES
• **Candido** Salice Salentino ②
• **Cantina Copertino** Copertino ②
• **Santadi** Monica di Sardegna ②
• **Fratelli d'Angelo** Aglianico del Vulture ②

• **Planeta** Santa Cecilia ④
• **Caggiano** Taurasi ⑤
• **Duca di Salaparuta** Duca Enrico ⑤
BLANCS
• **Cantele** Chardonnay Barrique ②
• **Sella e Mosca** La Cala, Vermentino di Sardegna ②
• **De Bartoli** Vecchio Samperi ③

Le Vecchio Samperi de Bartoli est un style de Marsala très sec et non fortifié. Le Salice Salentino de Candido est un vin rouge d'un excellent rapport qualité-prix.

Italie méridionale

C'est la partie de l'Italie que je préfère. Les vins y sont excellents, peu coûteux, mais pleins de saveurs non contenues, avec un arôme légèrement sauvage. Typiquement italiens.

C'est une région en plein essor et j'ai peine à suivre son évolution. Les rouges sont costauds, épicés et chocolatés, avec une note de prune, de raisin sec et de café torréfié. À rechercher: le Salice Salentino et le Copertino. Les Pouilles ont ouvert la marche, mais la Sicile va de l'avant et la Sardaigne tente de les rejoindre.

L'Italie méridionale offre de nombreux cépages excitants et uniques, comme l'aglianico, le nero d'Avola et le negroamaro, mais elle est par-dessus tout le foyer du primitivo, cépage habituellement considéré comme l'ancêtre du zinfandel de Californie. Il existe aussi d'impressionnants vins blancs: dans les Pouilles, on les élabore généralement à partir de cépages de renommée internationale, comme le chardonnay, mais on trouvera ailleurs, dans le sud, des variétés régionales aux arômes d'herbes. J'aime aussi le Marsala fortifié, pour sa douceur rappelant la cassonade et son acidité mordante, et encore plus les vins secs non fortifiés, très rares.

L'importance des régions
Quelle que soit la région d'où provienne le vin, il aura presque toujours les caractéristiques des vins de l'Italie méridionale.

L'importance des millésimes
Ne vous en préoccupez pas.

Quand les boire
Ce sont des vins agréables, mais qui demandent de l'attention. Il ne faut pas les boire sans discernement, mais plutôt les accompagner de bons plats italiens costauds.

Le prix
Ces vins offrent un excellent rapport qualité-prix, et ceux qui coûtent plus cher ont beaucoup de classe.

Espagne

L'ESPAGNE A CHANGÉ. Les vins défraîchis et manquant d'arômes fruités sont chose du passé: l'Espagne d'aujourd'hui est résolument moderne, à la mode et consciente des tendances actuelles. Les vins rouges jeunes et juteux sont la dernière nouveauté. J'aime ces vins charmeurs et succulents aux saveurs de prune et de fraise. La Mancha, Valdepeñas, Valence, Tarragone et Jumilla élaborent tous de ces vins savoureux, tout comme les régions que j'étudie en détail dans ce chapitre.

J'aime aussi les rouges plus sérieux: généreux et épicés, où les nuances de prunes s'accompagnent d'une touche poivrée et vanillée tout en s'appuyant sur des tanins mûrs et onctueux. Et j'aime les blancs, maintenant qu'ils sont nerveux et rafraîchissants, avec de bonnes odeurs d'herbe fraîche.

Les meilleures caractéristiques des vins traditionnels de l'Espagne sont restées. Le Rioja offre toujours ses rouges vanillés qui sentent la fraise et ses blancs boisés rappelant la crème anglaise. Et les bons xérès offrent certaines des saveurs les plus spectaculaires qu'on ne pourra jamais retrouver dans une autre bouteille de vin.

Rioja

Le Rioja est l'une des régions vinicoles les plus traditionnelles d'Espagne. Cela ne veut pas dire que rien n'a changé, mais le Rioja est ce pour quoi il faut opter si on aime les saveurs de l'ancienne Espagne: les arômes de vanille et de fraise, le goût mûr avec une note de cuir, des vins rouges. Beaucoup de jeunes vins rouges sont élaborés dans cette région, mais sans qu'ils aient ces caractéristiques.

Si vous voulez un Rioja blanc de style traditionnel à la robe

GOLFE DE GASCOGNE

RÍAS BAIXAS

NAVARRE

RIOJA

SOMONTANO

TORO

RIBERA DEL DUERO

RUEDA

Duero

PÉNÉDÈS

Barcelone

PRIORAT

TARRAGONE

● Madrid

LA MANCHE

VALENCIE

VALDEPEÑAS

JUMILLA

MONTILLA-MORILES

● Séville

XÉRÈS ET MANZANILLA

N

0 km   200

0 milles   100   200

MER MÉDITERRANÉE

CLASSIFICATIONS ESPAGNOLES

Le système espagnol, comme tous ceux de l'Union européenne, a des niveaux de qualité. Et comme l'Italie, l'Espagne a une catégorie supérieure.

Denominación de Origen Calificada (DOC) C'est une catégorie spéciale réservée aux vins ayant une longue tradition de haute qualité. Jusqu'ici, seul le Rioja porte cette dénomination.

Denominación de Origen (DO) La désignation standard pour qualifier les vins de qualité s'applique à plus de 50 régions, avec des réglementations strictes concernant les cépages et la production.

Vino de la tierra Ce sont des régions semblables aux régions de vins de pays françaises, pour des vins qui devraient avoir un caractère régional. Beaucoup voudraient passer au statut de DO. Le vin des régions moins précisément définies par des normes moins rigoureuses est appelé *vino comarcal*.

Vino de mesa Comme dans les autres pays européens, les vins les plus ordinaires sont connus sous le nom de vins de table.

Coup d'œil | Le Rioja et le Nord-Est

Emplacement Le Rioja et la Navarre sont deux provinces voisines au Nord de l'Espagne. Le Somontano, le Penedès et le Priorat sont plus à l'Est.

GOLFE DE GASCOGNE

Barcelone

MER MÉDITERRANÉE

① Rioja
② Navarre
③ Somontano
④ Penedès
⑤ Priorat

Cépages Le Rioja rouge résulte traditionnellement d'un assemblage de tempranillo et de grenache (garnacha, en espagnol), avec parfois un peu de graciano et de mazuelo. Un peu partout, on trouve du tempranillo et du grenache, du Carignan (cariñena, en espagnol), et d'autres variétés de notoriété internationale. Les styles des vins vont de fruités et juteux à épicés et généreux. Les cépages blancs traditionnels du Rioja sont le viura et le malvoisie et, en plus des cépages internationaux, on trouvera du parellada, du xarel-lo et du macabeo (aussi appelé aka viura) en Catalogne, dans l'est.

Jargon local *Joven*: jeune. *Sin crianza*: sans avoir vieilli (le vin est vendu l'année même ou l'année suivant le millésime). *Crianza*: avec une année ou un peu plus en barrique ou en bouteille. *Reserva*: au moins trois années d'âge en barrique ou en bouteille. *Gran Reserva*: au moins quatre années d'âge. Les vins blancs «Reserva» et «Gran Reserva» sont moins de garde.

Millésimes à rechercher (Rioja) 1996, 1995, 1994.

Suggestions

ROUGES

- **Principe de Viana** Navarre, Agramont ①
- **Baso** Navarre ①
- **Guelbenzu** Navarre Crianza ②
- **Artadi** Rioja, «Orobio» ②
- **Enate** Somontano Crianza ②
- **Palacio Glorioso** Rioja Crianza ②
- **Raïmat** Costers del Segre, Abadia ②
- **Raïmat** Costers del Segre, Mas Castell ②
- **Campillo** Rioja Reserva ③
- **Scala Dei** Priorat Negre ③
- **Remelluri** Rioja Reserva ③
- **Chivite** Navarre, Colección 125 Reserva, ③
- **CVNE** Rioja, Imperial Gran Reserva ④
- **Costers del Siurana** Priorat, Clos de l'Obac ⑤

BLANCS

- **Torres** Penedès, Viña Sol ①
- **Nekeas** Navarre, Chardonnay ②
- **Viñas del Vero** Somontano, Chardonnay fermenté en fûts ②
- **Marqués de Murrieta** Rioja Reserva ②

ROSÉ

- **Ochoa** Garnacha Rosé ②

BLANC PÉTILLANT

- **Codorniu** Cuvée Raventos ②

La région vinicole du Rioja repose au fond de la vallée de l'Ebro, au nord-est de l'Espagne, bordée par la chaîne de montagnes de la Sierra de Cantabria.

jaune or, ayant longuement vieilli en fût de chêne, ce sera plus difficile à trouver. La plupart des producteurs élaborent le Rioja blanc dans un style plus fringant, plus mordant, de saveur de fruit citronné. Les vins plus traditionnels sont intenses et noisettés. Les meilleurs ont des arômes de crème et de végétaux, mais avec une note finale mordante qui se rapproche davantage de la crème sure.

L'importance des régions

Les régions ne sont pas vraiment importantes. La Rioja Alta et la Rioja Alavesa sont les meilleures sous-régions, mais là plupart des vins Riojas résultent d'assemblages de cépages d'un peu partout dans la région.

L'importance des millésimes

Les millésimes sont importants pour les vins de qualité supérieure. Consulter *Coup d'œil*, p. 102. Pour les vins jeunes, on ne s'occupe pas du millésime.

Quand les boire

N'importe quand. Ils sont assez goûteux pour toute occasion, bien que les Riojas rouges les plus fins soient plus sérieux et méritent d'accompagner un repas de qualité. Le Rioja blanc traditionnel de qualité supérieure peut surprendre si on ne l'a jamais goûté. Les vins rouges légers sont parfaits à déguster pendant l'été.

Le prix

En général, le Rioja devient trop cher pour la qualité qu'il offre, même si cette qualité est fiable, et les meilleurs (gran reserva) seront assez coûteux. Les Riojas simples jeunes n'offrent pas le même rapport qualité-prix que les vins rouges des autres régions d'Espagne.

L'Espagne moderne du Nord-Est

Voici le meilleur exemple de ce qui se produit en Espagne depuis quelques années. La Navarre, qui était en quelque sorte une doublure de la Rioja, est, aujourd'hui, un lieu où fourmillent les expériences: on ne peut pas vraiment définir un style unique. Il y a des vins rouges juteux et fruités et des vins mûrs et boisés; il y a des vins de cépage et des vins issus d'assemblages; il y a des cépages espagnols traditionnels, comme le grenache et le tempranillo, ainsi que des cépages de classe internationale, comme le cabernet et le chardonnay. Il existe beaucoup de blancs mordants et de rosés (rosados, en espagnol) à arôme de fraise.

Le Penedès a été la première région d'Espagne à cultiver des variétés de cépages de classe internationale comme le chardonnay et le cabernet-sauvignon, et à produire des vins caractéristiques de styles internationaux. Les blancs étaient et sont d'un style mûr, grillé, vif et rafraîchissant; les rouges sont intenses avec des arômes de cassis, ou alors puissants et épicés. Certains sont des vins variétaux, élaborés à partir d'un seul cépage, d'autres résultent de l'assemblage de cépages indigènes et de cépages connus. Tout près, le Costers del Segre offre de bons vins rouges mûrs et épicés et des blancs à saveur de pain grillé.

Le Penedès n'a pas toujours maintenu le cap depuis ses premiers progrès, mais le Somontano a pris le virage de la modernité. On y cultive des cépages internationaux et on y produit des vins variétaux à partir du cabernet-sauvignon, du merlot, du pinot noir, du gewürztraminer et du chardonnay. Et les résultats témoignent d'une finesse et d'une délicatesse remarquables.

Dans le Priorat, on est allé encore plus loin, quoique dans une direction différente. La région est l'une des nouvelles étoiles concernant le vin espagnol. Les meilleurs vins deviennent des vins-cultes et leurs prix sont devenus astronomiques. La raison: de grands investisseurs ont rapidement décelé le potentiel de la région et ont commencé à produire les meilleurs vins qu'ils étaient en mesure de faire. Leur production est réduite et ils cueillent le raisin grappe par grappe pour élaborer leurs meilleurs vins. Ce sont des rouges épicés et généreux. Ils élaborent aussi des rouges du même style à prix abordable merveilleusement corsés, et quelques vins jeunes et juteux.

Je ne dois pas oublier le cava. «Cava» est simplement le terme espagnol pour décrire un vin mousseux élaboré selon la méthode traditionnelle et, si on peut en trouver presque partout dans le Nord-Est, la plupart vient du Penedès. Il ne faut pas s'attendre à un Champagne. De nos jours, il peut y avoir un peu de chardonnay dans l'assemblage pour lui ajouter un peu plus de finesse, mais les cépages de base sont surtout le parellada, le macabeo et le xarel-lo, dont aucun ne peut prétendre au titre de meilleur cépage blanc de l'année. Le meilleur Cava est agréable, net et rafraîchissant, et, parmi tous les mousseux, il offre un des meilleurs rapports qualité-prix. Les Cavas bas de gamme sont ternes et inintéressants.

L'importance des régions
Aucune importance dans le cas des régions dont je viens de parler.

L'importance des millésimes
Aucune.

Quand les boire
Les vins-cultes du Priorat: à boire seulement si vous êtes invité par un millionnaire. Les autres sont appropriés à presque toutes les occasions; le Penedès et le Costers del Segre élaborent des vins rouges et blancs intéressants, qui conviennent aux plus belles occasions.

Le prix
La plupart sont abordables. Les meilleurs Penedès ne présentent pas toujours un bon rapport qualité-prix; les variétaux de Somontano sont un très bon achat, mais cela ne signifie pas qu'ils soient donnés. La même chose vaut pour la Navarre. Partout, les vins jeunes sont un bon achat. Dans le cas des meilleurs vins du Priorat, attention au prix.

Nord-Ouest de l'Espagne
Il y a ici toute une variété de vins à goûter, des rouges riches et intenses aux blancs légers et aromatiques. Voilà les deux extrêmes que l'Espagne produit aujourd'hui, mais ces vins ont un point en commun: ils sont tous très prisés en Espagne et leurs prix ne cessent de grimper.

Première étape: Ribera del Duero. Ces vins sont généralement élaborés à partir du seul tempranillo, vieillissent un certain temps dans des fûts de chêne neufs et prennent, avec,

Le Rias Baixas est la région la plus verdoyante du Nord-Ouest de l'Espagne, où les vignobles descendent des coteaux jusqu'aux rives de vastes estuaires appelés rias.

une dimension de vanille épicée allant au cassis éclatant. La qualité est de plus en plus élevée, quoique les prix ne correspondent pas toujours à la qualité. Les vins vieillissent bien et, en fait, il faut quelques années pour adoucir leur côté tannique.

Ensuite, le Toro. On peut le voir comme un type légèrement au-dessous du Ribera del Duero: plus savoureux et plus robuste, quoique peut-être avec moins de définition, mais avec un fruité étonnant. Le Toro offre un bon rapport qualité-prix, mais les prix ont augmenté.

Il est possible d'affirmer que la Rueda est le chef de file dans les vins blancs de la région. Ses saveurs sont vives et fougueuses, la qualité est fiable. On pourrait croire, de prime abord, qu'ils sont tous élaborés à partir de sauvignon blanc et

l'on ne serait pas loin de la vérité: on y trouve du sauvignon blanc, mais le principal cépage est le verdejo. Certains vins sont élevés en fûts de chêne afin d'acquérir des arômes de pain grillé et de beurre.

Les Rías Baixas sont d'autres blancs intéressants. Ces vins aromatiques, abricotés, sont principalement élaborés à partir d'albarino. Tous n'ont pas l'élégance et la légèreté que j'aime, et ils coûtent cher. Des vins semblables provenant de Valdeorras, de Ribeiro et de Ribeira Sacra sont moins coûteux et plus aromatiques. Ce sont de bons achats.

L'importance des régions
Uniquement ce qui précède.

L'importance des millésimes
Ils le sont pour le Ribera del Duero. Consulter *Coup d'œil*, ci-dessous.

Quand les boire
Le Ribera del Duero sert à impressionner; le Toro et la Rueda, pour les gens que l'on aime. Tous accompagnent bien un repas. Le Rías Baixas se déguste seul ou en apéritif.

Le prix
Le Toro et la Rueda sont abordables, mais la Ribera del Duero peut atteindre des prix faramineux. Recherchez des Valdeorras, des Ribeiro ou des Ribeira Sacra si vous ne pouvez pas vous permettre des Rías Baixas.

Coup d'œil | Nord-Ouest de l'Espagne

Emplacement La plupart de ces régions sont situées le long du fleuve Douro.

Cépages Rouges: tempranillo; blancs: sauvignon blanc, verdejo et albarino.

Jargon local *Reserva*: rouges ayant vieilli plus longtemps avant d'être vendus, et qui devraient être de meilleure qualité. *Gran reserva*: rouges ayant vieilli beaucoup plus longtemps avant d'être vendus et qui devraient être d'une qualité supérieure.

Millésimes à rechercher (Ribera del Duero) 1996, 1995, 1994, 1991, 1990.

Millésimes à éviter (Ribera del Duero) 1993.

Suggestions
ROUGES
- **Frutos Villar** Toro, Miralmonte Crianza ②
- **Fariña** Toro, Gran Collegiata Reserva ②

GOLFE DE GASCOGNE

Valladolid

① Rías Baixas   ③ Toro
② Ribera del Duero   ④ Rueda

- **Pesquera** Ribera del Duero, Condado de Haza ②
- **Pago de Carraovejas** Ribera del Duero ②
- **Viña Pedrosa** Ribera del Duero, Reserva ④
- **Vega Sicilia** Ribera del Duero, Alión ④
BLANCS
- **Marqués de Riscal** Rueda ②
- **Bodegas Godeval** Valdeorras, Viña Godeval ②
- **Belondrade y Lurton** Rueda ③
- **Pazo de Senorans** Rías Baixas, Albariño ③

Coup d'œil | Xérès

Emplacement Espagne méridionale (Xérès et Manzanilla). Voir la carte à la page 101.

Cépages La plupart des Xérès sont faits de palomino, qui donne un vin de table non fortifié incroyablement ennuyeux. Mais le Xérès produit avec ce raisin est fabuleux. L'autre cépage (cépage principal de Montilla) est le pedro ximénez (ou PX), qui donne un Xérès merveilleusement doux.

Jargon local *Dulce*: doux. *Muy dulce*: très doux. *Muy viejo*: très vieux. *Seco*: sec. *Almacenista*: petit producteur qui ne produit que quelques barriques de Xérès de grande qualité. L'établissement d'Emilio Lustau se spécialise dans l'embouteillage de ces Xérès.

Suggestions
FINO ET MANZANILLA
  (Xérès léger et pâle)
• **Barbadillo** Manzanilla
  de Sanlúcar ①
• **Domecq** La Ina ②
• **Hidalgo** La Gitana ②
• **Valdespino** Inocente ②
AMONTILLADO
  *(Xérès plus sombre
  et plus concentré)*
• **Hidalgo** Napoleon ②
• **Valdespino** Coliseo ③
• **González Byass** Del Duque ④
OLOROSO
  *(Xérès très sombre
  et très concentré)*
• **Williams et Humbert**
  Dos Cortados ②
• **González Byass** Matusalem
  (doux) ⑤
• **Osborne** Solera India ⑤

Il faut des années pour que le Xérès acquiert ses arômes uniques et la température, l'humidité et l'éclairage dans la cave doivent être soigneusement réglés.

Xérès

Du nouveau: on n'est plus tenu d'endurer comme Xérès cette concoction douceâtre et brune. C'était du Xérès de bas de gamme pour l'exportation. Celui que les Espagnols boivent est tout à fait différent. Premièrement, il est très sec. Deuxièmement, il est intensément aromatique, avec des saveurs de levure et de pomme, de noix et de pruneau, de café et de pain grillé. C'est l'un des meilleurs vins fortifiés du monde.

Le Xérès sec peut être léger et pâle (*fino* ou *manzanilla*), plus foncé et plus concentré (*amontillado*) ou encore plus foncé et plus concentré (*oloroso*).

Il existe de bons Xérès doux. Le cépage pedro ximénez donne un vin intensément fruité et parfumé, presque noir. Les Espagnols le boivent au dessert ou le versent sur une glace. D'autres bons Xérès doux seront étiquetés *dulce* ou encore *muy dulce*, ce qui signifie très doux. Des termes espagnols comme *muy viejo* (très vieux) ou *seco* (sec) sont un bon signe: cela indique que le même vin se vend sur le marché espagnol, à des gens qui sont sérieux quant à la qualité du Xérès qu'ils achètent.

Montilla produit des vins de style et de parfum analogues à ceux du Xérès, quoiqu'ils aient rarement le mordant d'un bon Xérès.

L'importance des régions
Il vaut mieux se familiariser avec les styles.

L'importance des millésimes
Le Xérès n'est pas millésimé. Son mode d'élevage est appelé solera, ce qui signifie qu'il y a une série de barriques de vin à différents stades de maturation. On embouteille une certaine portion seulement du vin le plus mature. On comble ensuite la barrique avec le vin de la deuxième barrique la plus mature et ainsi de suite jusqu'à ce qu'on arrive au vin le plus jeune, auquel on ajoute du vin nouveau. Chaque bouteille de Xérès est donc un assemblage de vins de presque tous les âges.

Quand les boire
Le *fino* est idéal comme apéritif et avec les tapas. L'amontillado sec ou l'*oloroso* sec sont de bons apéritifs d'hiver lorsqu'il fait un peu trop noir ou trop froid pour le *fino*, et les très bons Xérès doux sont excellents après le repas. Buvez le *fino* sans attendre: achetez-le en demi-bouteilles que vous consommerez en une fois.

Le prix
Les bons sont remarquablement peu cher pour leur qualité.

Portugal

On découvre à peine les vins portugais. Oui, le Porto et le Madère comptent parmi les grands vins doux fortifiés du monde, mais les vins de table, rouges et blancs, commencent à faire leur marque. Ils ont, surtout les rouges, des parfums de chocolat, de prune et de vanille, que vous ne trouverez nulle part ailleurs; ils sont doux et juteux, et pourtant légèrement aigres.

Les bons vins rouges viennent de la vallée du Douro, où ils seraient, autrement, fortifiés et transformés en Porto; de Dão et de Bairrada, où la saveur est plus herbacée; et du sud, surtout d'Alentejo et de Ribatejo et de leurs sous-régions, où les vins sont souvent plutôt simples, mais qui comptent de plus en plus de domaines sérieux.

Les blancs, généralement moins excitants, peuvent être frais et attrayants. Le Portugal peut produire des blancs très sérieux qui se transforment avec le temps en vins sentant le miel et la lanoline. Ils viennent de producteurs individuels soucieux de la qualité, plutôt que d'une région en particulier.

Le blanc de table le plus distinctif du Portugal est le Vinho Verde. Celui que l'on trouve en exportation dans des bouteilles arrondies a été, en général, édulcoré; celui que j'aime est très sec, acide et mordant avec des parfums d'abricot et de laurier.

Les rosés légèrement doux portugais sont parmi les meilleurs.

L'importance des régions
Les régions du nord comme Douro, Dão et Bairrada sont remarquablement différentes de celles du sud.

L'importance des millésimes

Ils le sont rarement, et seulement dans le nord.

Quand les boire

Ces vins sont si délicieusement différents que vous voudrez les boire n'importe quand. Un bon Vinho Verde accompagne très bien les fruits de mer.

Le prix

Les vins du sud sont encore extrêmement peu coûteux pour leur qualité. Ceux du Douro peuvent être plus chers, mais ils en valent généralement la peine.

Porto et Madère

Ces deux vins célèbres sont fortifiés, mais ils sont totalement différents l'un de l'autre. Le Porto de type Tawny est sucré et noiseté; le Porto millésimé, de type Vintage, regorge de mûre, de poivre et d'épices. Le Madère est mordant et très acide avec, même s'il est doux, une note finale plutôt asséchante.

Les styles de Porto se divisent fondamentalement entre les Portos millésimés et non millésimés. Le Porto millésimé provient d'une seule année et ce n'est que lors des meilleures années que les producteurs «déclarent» un millésime. Les vins doivent vieillir en bouteille de 10 à 15 ans avant d'être ouverts. Les portos dits de quinta sont une variation sur le même thème: ils proviennent du meilleur domaine du producteur, mais ils sont produits les années ordinaires. Ils sont prêts à boire à environ 10 ans d'âge.

Le LBV, millésimé et embouteillé tardivement (en anglais, Late-Bottled Vintage), est plutôt différent. Oui, c'est un vin d'une seule année, mais qui a généralement dépassé le temps de garde. Le LBV traditionnel, non filtré, est fin et aromatique.

Le Crusted est un assemblage non millésimé qui est généralement un excellent substitut du Porto millésimé, à moindre prix; le caractère d'un millésimé étant la plupart du temps quelconque. Le Tawny est le plus merveilleux des styles non millésimés. Un Tawny de 10 ans d'âge associe maturité et fraîcheur; celui qui a 20 ans d'âge est plus noiseté et plus mûr, et celui qui a 40 ans d'âge est en fait très noiseté.

Il y a les Portos qui ont seulement un nom de marque déposée, comme «*Le Porto affreusement vieux de Son Excellence*». Certains sont bons, mais ce sont souvent des rubies et des tawnies bas de gamme. Pour obtenir plus d'informations, lisez soigneusement la contre-étiquette. S'il y est inscrit Ruby, il s'agit du plus simple et du plus jeune des Portos, et rien ne pourra le rendre meilleur.

Les Madères se classifient différemment; les différentes teneurs en sucre sont la clé. Le Sercial est le plus léger et le plus sec; le Verdelho est un peu plus corsé et demi-sec. Le Bual est assez doux, et le Malmsey est très doux. Tous tirent leur goût mordant et épicé du traitement thermique qu'ils subissent lors de l'élaboration (40 à 50 °C), de sorte que le vin s'oxyde délicatement. Ce n'est pas une saveur qu'on aimerait retrouver dans d'autres vins, mais elle est essentielle pour le Madère.

L'importance des régions

Elles ne sont pas importantes.

L'importance des millésimes

Ils ne le sont que dans le cas des Portos millésimés. La plupart des Madères ne sont pas millésimés.

Quand les boire

À la fin de la journée, à moins que vous ne vouliez dormir. Les Portugais boivent le Tawny en apéritif; le madère sec est aussi un bon apéritif. Le Porto millésimé mérite un traitement sérieux, même si vous devrez faire la grasse matinée le lendemain.

Le prix

Les bons Portos et les bons Madères ne sont pas donnés, et les moins bons ne valent pas la peine d'être bus.

CLASSIFICATIONS PORTUGAISES

Le plus haut niveau de qualité, l'équivalent de l'Appellation Contrôlée en France, est la **Denominaçao de Origem Controlada**, ou DOC, suivi de **IPR** (quelquefois étiqueté VQPRD). Vient ensuite le **vinho regional**, l'équivalent du vin de pays français. Le vin de table est le **vinho de mesa**.

Coup d'œil | Portugal

Emplacement Le Vinho Verde, le Porto, le Dão et le Bairrada sont des provinces du nord. Les régions dont la cote monte sont le Ribatejo, l'Alentejo et l'Estremadure, plus au sud. Madère est une île à l'ouest du Maroc.

Cépages Le secret des saveurs du Portugal est l'abondance de cépages indigènes qu'on ne trouve nulle part ailleurs. Peu des noms de ces cépages figurent sur les étiquettes, mais le touriga nacional, le baga et le tinta roriz (tempranillo) sont de bons cépages rouges dont les noms peuvent apparaître. Les principaux cépages de Madère sont le sercial, le verdelho, le bual et le malvoisie; chacun des styles différents est fait du cépage portant ce nom.

Jargon local *Quinta*: domaine. *5/10/20/40 ans d'âge*: l'âge indiqué fait référence à l'âge moyen du vin de l'assemblage et non à un millésime en particulier. L'âge est une indication du style pour le Porto Tawny. N'achetez que du Madère ayant au moins 10 ans d'âge, sinon il n'aura pas développé tout son caractère.

Millésimes à rechercher (Porto) 1997, 1994, 1992, 1991, 1985, 1983, 1980.

Suggestions
ROUGES
- **Bright Brothers** Palmela ②
- **Quinta do Crasto** Douro ②
- **Quinta de la Rosa** Douro ②
- **Esporão**, Reguengos ②
- **Quinta da Boavista** Alenquer ②
- **Luis Pato** Bairrada, Vinha Pan ④

PORTOS
- **Ramos Pinto** Quinta da Ervamoira, Tawny 10 ans d'âge ④
- **Taylor** Quinta de Vargellas (millésime d'un domaine individuel) ⑤

MADÈRES
- **Blandy's** Verdelho 10 ans d'âge (sec) ④
- **Henriques et Henriques** Malmsey 10 ans d'âge (doux) ④

QUINTA DO
CRASTO

DOURO
DENOMINAÇÃO DE ORIGEM CONTROLADA

1996

Vinho Tinto / Red Wine

PRODUCED AND BOTTLED BY
SOC. AGRICOLA DA QUINTA DO CRASTO
FERRÃO - ALTO DOURO
PRODUCE OF PORTUGAL

Alc. 12% by vol.   75 cl ℮

CI-CONTRE ET PHOTO *Le Quinta do Crasto, dans la vallée du Douro, a été l'un des premiers domaines de Porto à réussir un vin rouge.*

Allemagne

Dites-moi ce que vous pensez des vins allemands et je vous dirai si vous êtes snob ou non. L'Allemagne produit d'excellents blancs, parmi les meilleurs du monde. Ils ont de l'élégance, du raffinement, de la concentration et deviennent, avec le temps, fascinants et richement miellés. Mais ces merveilles ont été tragiquement éclipsées par le fait que l'Allemagne produit aussi certains vins les plus mauvais du monde. En plus d'être de piètre qualité et sucrés, ils sont honteusement élaborés dans un style qui imite celui des meilleurs vins.

Quiconque a goûté un bon vin allemand et l'a adoré, ce qui se produit généralement simultanément, ne pourrait probablement pas confondre les deux styles. Mais des générations d'amateurs ont appris à mépriser les vins allemands parce qu'on ne leur proposait que ce qu'il y avait de moins bon.

Si vous êtes prêt à aller au-delà des idées préconçues que se font les snobs. Poursuivez votre lecture et vous découvrirez ces vins absolument excellents.

Riesling

Le meilleur et le plus simple indice de qualité est le mot riesling sur l'étiquette. Ce cépage blanc classique d'Allemagne coûte trop cher à cultiver pour qu'on l'utilise dans l'élaboration de vins à consommation courante. Le Riesling allemand est vif sans être mordant, floral et fruité, tendant tantôt vers la pêche, tantôt vers la pomme, tantôt vers le fumé lorsque jeune, avec généralement une certaine douceur qui compense la haute acidité du raisin. C'est important, car les Rieslings sont des vins légers ayant une faible teneur en alcool, et leur acidité doit être compensée.

À l'inverse, ne soyez pas rebuté par une touche de sucré dans un bon Riesling: l'acidité le rend délicieux plutôt que doucereux.

Voici pour ce qui est des saveurs de base. Le tableau se

Au sud de Bonn, les vignobles émaillent les rives du Rhin de vert et de doré. Peu d'autres régions d'Allemagne sont assez chaudes pour cultiver la vigne.

complique par le système allemand de classification, qui classe les vins en fonction de la maturité du raisin et du sucre qu'il contient à l'état naturel. Les vins de qualité supérieure sont invariablement très doux. Les plus ordinaires peuvent être secs ou demi-secs. La plupart des vins bus en Allemagne sont secs, mais dans les meilleurs cas, les arômes parfumés et fruités jaillissent toujours du verre.

Certaines régions, surtout dans le sud, produisent des vins rouges qui peuvent être bons, mais l'Allemagne est fondamentalement un pays de vin blanc.

CLASSIFICATIONS ALLEMANDES

Le **Tafelwein** et le **Landwein** sont les plus ordinaires et ne valent pas la peine d'être bus. Les **Qualitätswein bestimmter Anbaugebiete** (QbA) viennent de l'une des 13 régions vinicoles du pays. Ils peuvent être intéressants, mais l'infâme Liebfraumilch étant aussi classé QbA, il faut être vigilant. La classification suivante et celle qu'on doit rechercher est le **Qualitätswein mit Prädikat** (QmP) qui se subdivise en six styles différents. En ordre ascendant de maturité, de douceur et de prix, ce sont le Kabinett, le Spätlese, l'Auslese, le Beerenauslese, le Trockenbeerenauslese et l'Eiswein. Voir la page 73 pour plus de détails.

La région d'où provient un vin a aussi un effet sur sa qualité probable. Les vignobles individuels (**Einzellagen**) sont à rechercher. Vous trouverez, sur l'étiquette, le nom du village suivi du suffixe -er (par exemple, Bernkasteler pour le village de Bernkastel), puis du nom du vignoble. Les **Grosslagen** sont des régions plus vastes sans le même caractère spécifique. Ce nom est très difficile à trouver sur une étiquette, car les producteurs ont inventé des noms qui ressemblent à ceux des vignobles individuels. Le Niersteiner Gutes Domtal en est, alors que le Niersteiner Pettenthal est un vignoble de haut calibre. Un **Bereich** est encore plus grand. Si l'étiquette indique par exemple Bereich Bernkastel, le vin ne sera probablement pas intéressant. Bernkastel en tant que tel est un des meilleurs villages vinicoles et produit d'excellents vins, mais le Bereich Bernkastel est beaucoup plus vaste et comprend certains vignobles qui sont décidément de classe inférieure.

Coup d'œil │ Allemagne

Emplacement Les régions vinicoles sont surtout situées dans le sud-ouest du pays, réunies autour du Rhin et de ses affluents.

Cépages Le riesling donne les meilleurs vins, d'un style vif sans être mordant. Le scheurebe est parfumé et rafraîchissant. Le pinot blanc (ou weissburgunder) est moins vif et plus noisetté. Le pinot gris (ou grauburgunder ou ruländer) est noisetté avec un goût de terroir. Le silvaner est sec et neutre. Le traminer (gewürztraminer) est floral. Le müller-thurgau est généralement neutre. Le meilleur rouge est le pinot noir (spätburgunden).

Jargon local *Trocken*: sec. *Halbtrocken*: demi-sec. *VDP/Charta*: une organisation des meilleurs producteurs du Rheingau. *Sekt*: vin pétillant.

Millésimes à rechercher 1998, 1997, 1996, 1995, 1993, 1990 ou tout vin de Moselle des années 1990.

Millésimes à éviter 1992, sauf pour les vins de Moselle.

Suggestions
Tous ces producteurs produisent un éventail de vins dans divers domaines individuels au sein de leur région. Les prix vont de ② pour un Kabinett à ③ pour un Spätlese, et ⑤ pour les meilleurs et les plus rares.

• **Kurt Darting** Pfalz
• **Hermann Dönnhoff** Nahe
• **Gunderloch** Rheinhessen
• **Fritz Haag** Moselle
• **Toni Jost** Mittelrhein
• **von Kesselstatt** Moselle
• **Franz Künstler** Rheingau
• **J Leitz** Rheingau
• **Dr Loosen** Moselle
• **Müller-Catoir** Pfalz

L'importance des régions

Elles sont très importantes, mais il faut surtout se fier aux bons cépages. Les meilleurs vins viennent habituellement de la Moselle (plus délicats, plus austères et plus épicés), de Rheingau (plus corsés, plus mûrs), de Rheinhessen (plus doux, avec seulement une petite proportion des vignobles donnant des vins de qualité) et de Pfalz (plus musclés, souvent faits de pinot blanc, de pinot noir et d'autres cépages ainsi que de riesling). Les vins de Baden, blancs ou rouges, peuvent être bons (les pinots sont ici plus présents que le riesling) et le franken produit un Silvaner sec impressionnant et un Müller-Thurgau intéressant.

L'importance des millésimes

Oui et non. Il y a certainement une grande variation entre les millésimes, mais le système de classification des vins par degré de maturation des cépages signifie que les meilleures classes ne sont produites que lorsque le raisin est assez mûr. Ainsi, dans les piètres millésimes, seuls des vins ordinaires seront produits. Consulter *Coup d'œil*, ci-contre.

Quand les boire

Les plus légers (QbA, Kabinett, Spätlese) sont de bons apéritifs, et ils se prêtent bien pour accompagner des plats comme la truite, le saumon ou le crabe, les pâtés ou des mets chinois ou de l'Asie du Sud-Est, légèrement relevés. Les vins très doux accompagnent les desserts ou peuvent servir de digestif. Ils sont très prisés. N'oubliez pas que le Riesling doit vieillir en bouteille. Même un Kabinett léger s'améliorera après environ quatre ans d'âge, et il faut plus de temps aux vins de qualité supérieure.

Le prix

Heureusement, ces vins sont abordables. Les prix exigés par les meilleurs producteurs sont élevés, car la demande est forte en Allemagne. Il est cependant possible d'acheter un Kabinett ou un Spätlese de très bonne qualité à un prix de beaucoup inférieur à ce que vous paieriez pour un vin comparable provenant de nombreux autres pays.

Autres pays européens

C'EST LÀ QUE nous trouvons des cépages inhabituels et des saveurs qui, sans être stridentes, ont un caractère unique. Les vignobles s'étalent dans tous les coins du continent, de la frontière est de l'Allemagne jusqu'aux rives de la mer Noire, et bien au-delà. Plus au Nord, en Angleterre et au Pays de Galles, on réussit à cultiver, en quelques endroits, des cépages intéressants.

Angleterre et Pays de Galles

La plupart des vins sont des blancs et vont de sec à demi-sec. Selon moi, les plus réussis relèvent de deux catégories. D'un côté, les vins légers, secs, plutôt neutres pouvant vieillir, souvent à base de seyval blanc. De l'autre côté, les vins aromatiques, vifs et même fringants. Certains sont très aromatiques et sentent le pot-pourri et le sureau. Lorsqu'ils sont équilibrés, ces vins peuvent être un délice; ils déçoivent cependant lorsqu'ils sont trop sucrés. Les meilleurs vins pétillants, comme le Nyetimber, sont exceptionnels, mais la plupart sont un peu verts, trop acides. Pris dans son ensemble, la qualité n'est pas fiable, quoiqu'elle s'améliore.

Autriche

L'Autriche classe ses vins un peu de la même façon que l'Allemagne (à une différence ou deux près), mais le style de base du vin autrichien est différent. La plupart des vins d'Allemagne sont légers et faibles en alcool, et seront de secs à demi-secs selon le producteur. Les vins autrichiens sont fondamentalement secs, mais plus mûrs, plus corsés et avec un degré d'alcool remarquablement plus élevé. Les blancs peuvent être neutres, vifs et fringants ou intenses et noisettés. Les rouges sont surtout juteux et poivrés, quoique les plus sérieux n'aient pas ce côté juteux et aient plus de structure cachée derrière un fruité velouté. Lorsque l'Autriche produit des vins doux, ils le sont résolument: riches, miellés, complexes et très concentrés.

Chaque région a un style qui lui est propre. Les meilleurs vins rouges, les plus juteux et les plus fruités viennent du Burgenland, tout comme les vins doux les plus intenses; le Neusiedlersee est l'endroit de prédilection pour ces derniers. Les blancs secs y sont également bons. Le Steiermark va vers l'autre extrême, avec des vins légers et très acides au point de provoquer un resserrement des gencives. Le Niederösterreich produit des vins blancs subtils, fermes et aromatiques: le Wachau offre de superbes Rieslings. Le Niederösterreich donne aussi les meilleurs Grüner Veltliner, le vin de tous les jours en Autriche. Léger et appétissant, il est souvent de très bonne qualité et rappelle le poivre et les feuilles de laurier.

Suisse

Il y a trois styles de base de vins en Suisse: français, allemand et italien. Les meilleurs sont presque tous de type français, élaborés en Suisse française. Le cépage blanc dominant est le chasselas, neutre; les vins rouges sont élaborés surtout à partir du gamay et du pinot noir, ou d'un assemblage des deux

À DROITE
Le Nyetimber est élaboré selon la méthode champenoise.
AU CENTRE,
À DROITE
La classification Ausbruch pour le vin doux est propre à l'Autriche.

AU CENTRE,
À GAUCHE
Le Pinot noir suisse est plus léger que le Bourgogne.
À GAUCHE
Le Naoussa est un vin grec épicé et corsé fait du cépage xynomavro.

comme dans le Dôle, ils sont pour la plupart légers et confiturés. Ils ne sont pas aussi bons que le Bourgogne ou le Beaujolais, mais coûtent aussi cher qu'eux.

Alors, quoi rechercher? Les blancs à base de chasselas peuvent surprendre. Sinon, essayez de trouver un des cépages particuliers à la Suisse, comme le petite-arvine, l'amigne et le humagne blanc. Ils produisent des vins riches et secs, et parfois aussi des vins doux; les deux premiers sont très parfumés. Le Valais offre aussi des bons chardonnay et syrah.

Les blancs de la Suisse allemande sont principalement faits de müller-thurgau, appelé ici riesling-sylvaner. Ce cépage ne peut absolument pas produire de vins de grande qualité. Il existe aussi quelques rouges légers, fumés. La Suisse italienne produit des Merlots agréables et, parfois, impressionnants.

Grèce

On trouve en Grèce des cépages qui ne poussent nulle part ailleurs et qui sont bons: pour les blancs, vous entendrez des noms tels que robola, roditis et moscophilero, et pour les rouges, xynomavro, limnio ou aghiorghitiko. Les blancs sont vifs et fringants, avec un parfum citronné croquant ainsi qu'une bonne acidité et du corps, quoique le Moscophilero soit aromatique et le Muscat, généralement doux. Les rouges sont épicés et corsés, costauds et aux saveurs affirmées.

Europe de l'Est

Les pays d'Europe de l'Est produisent des vins modernes influencés par le Nouveau Monde et des styles traditionnels à partir de cépages indigènes. Et si, en ce moment, les saveurs peu coûteuses et fiables du Nouveau Monde offrent probablement le meilleur rapport qualité-prix, nous devrions voir fleurir de plus en plus de styles locaux au fur et à mesure que les vignobles reprennent pied et que s'améliorent les méthodes de vinification.

La Bulgarie offre de bonnes versions des styles français classiques, avec du Cabernet-Sauvignon, du Merlot et du Chardonnay acceptables; le Mavrud, le Gamza et le Melnik sont également de bonnes variétés de rouges légèrement confiturés et juteux. La qualité peut varier, mais les vins sont très abordables, de sorte qu'il vaut la peine d'en faire l'essai.

La Hongrie offre le vin blanc Irsai Olivér au parfum de pétales de rose et les rouges Kadarka et Kékfrankos, ce dernier dégorgeant de fruits rouges lorsqu'il est bien élaboré. Il y a également un nombre croissant d'excellents cépages de classe internationale, comme le sauvignon blanc, le chardonnay et le pinot gris. En ce moment, ce ne sont que des vins agréables de tous les jours, mais le potentiel de la Hongrie est énorme. Le Tokaji (ou Tokay), ce fabuleux vin doux hongrois, aux parfums de fumée, de cire d'abeille, de zeste d'orange et de miel, célèbre depuis des siècles, est en tête.

En Roumanie, on trouve des vins de qualité inégale et à faible prix; les rouges peuvent être délicats et confiturés; les meilleurs blancs, équilibrés et noisettés. Le cépage tamîioasa donne de très bons vins doux; parmi les autres bons cépages, nommons le feteasca très aromatique. La République tchèque et la Slovaquie exportent peu, mais toutes deux offrent des blancs légers, délicatement épicés. La Slovénie donne de bons blancs costauds faits à partir de laski rizling et de pinot blanc, des Sauvignons blancs vifs et certains rouges juteux.

L'importance des régions
La plupart des régions n'ont qu'un producteur. S'il est bon, le produit sera bon.

L'importance des millésimes
La fraîcheur peut poser problème, donc choisissez généralement le millésime le plus récent que vous pouvez trouver.

Quand les boire
La plupart sont des vins de tous les jours. Réservez le Tokaji pour les occasions spéciales ou comme digestif.

Le prix
Le bon Tokaji coûte cher et les prix sont relativement élevés en Slovénie, mais les autres régions de l'Europe de l'Est offrent beaucoup de bons vins à faible coût.

Coup d'œil | Europe de l'Est

Emplacement La Bulgarie, la Hongrie et la Roumanie sont les principaux exportateurs. La Moldavie, les Républiques tchèque et slovaque ainsi que la Slovénie produisent aussi de bons vins.

Cépages La Bulgarie cultive de nombreux cabernet-sauvignon, merlot, gamza, mavrud et melnik qui donnent des rouges au parfum de cassis d'une intéressante intensité ou des styles de vins juteux et fruités. Les blancs sont de qualité plus inégale; on trouve beaucoup de chardonnay. La Hongrie offre du furmint et du hárslevelü pour le Tokaji, de l'irsai olivér, du kékfrancos, du Kékoporto et d'autres pour élaborer des blancs aromatiques et des rouges agréables; il existe aussi des cépages de classe internationale. La Roumanie fait la culture du pinot noir, du chardonnay et d'autres cépages ainsi que le feteasca et le tamîioasa indigènes; en Slovénie, on trouve le laski rizling, le pinot blanc, le sauvignon blanc et autres.

Suggestions

ROUGES DE BULGARIE
- **Iambol** ou **Sliven** Merlot ①
- **Lovico Suhindol** ou **Russe** Cabernet-Sauvignon ①

BLANC DE BULGARIE
- **Domaine Boyar** Chardonnay Preslav fermenté en fût ①

BLANCS DE HONGRIE
- **Chapel Hill** Irsai Olivér ① ou Chardonnay ①
- **Hilltop** Sauvignon blanc de la région de Neszmély ①
- **Royal Tokaji Wine Company** Tokaji Aszú 5, Puttonyios (doux) ⑤

BLANC DE ROUMANIE
- **Pietroasele** Tamîioasa (doux) ①

🍷 Termes œnologiques | **Tokaji**

Ce délicieux vin doux de Hongrie est unique par son caractère vif et fumé. Il est élaboré à partir de cépages ayant une forte teneur en sucres naturels (généralement grâce à la pourriture noble qui fait se concentrer le sucre dans le raisin) et ces cépages sont connus sous le nom de **Aszú**. Ces vins sont étiquetés **Tokaji Aszú** et le degré de douceur se mesure en **puttonyos**. Un Tokaji de trois puttonyos est doux; un de six sera concentré et riche. L'**Aszú Eszencia** est encore plus doux et très intense. Le **Szamorodni** ne contient que peu de cépages d'aszú et varie de sec à demi-doux.

PHOTO *Le Tokaji est clarifié par soutirage: le vin est transféré dans une nouvelle barrique, laissant tout dépôt solide dans l'ancienne.*

États-Unis

C'EST AUX ÉTATS-UNIS que commença la révolution moderne du monde des vins, le mouvement qui, une fois enclenché, a donné du vin net, frais et résolument fruité à l'échelle de la planète et à des prix abordables. Tout débuta en Californie, où le climat doux et sec n'a rien à voir avec celui des régions classiques d'Europe. Mais la technologie du XXᵉ siècle a apporté la clé, et le centre local de viticulture, l'université de Californie à Davis, a fourni le savoir-faire et un groupe de vinificateurs très bien formés.

Il en résulta des vins qui, dans les années 1970, ont remis en question la domination de l'Europe; qui, dans les années 1980, ont donné le signal du changement; et qui, maintenant, évoluent d'eux-mêmes. Beaucoup d'autres États produisent du vin, surtout Washington, l'Oregon et New York. Mais du point de vue de la qualité et de la quantité, c'est la Californie qui mène.

Californie

Ce sont généralement de grands vins mûrs, de style ultra-moderne. La Californie réussit avec brio à produire une énorme gamme de vins à partir d'un choix relativement restreint de cépages. Le cabernet-sauvignon, le merlot et le cépage propre à la Californie, le zinfandel, sont utilisés pour les rouges costauds, souvent dans le style intense, épicé ou à parfum de cassis; le chardonnay mûr et à arôme de pain grillé sert à la production de la plupart des blancs; le riesling et le sauvignon blanc sont également largement cultivés, quoiqu'ils tendent à être moins fringants que leurs équivalents ailleurs dans le monde. Le Sauvignon blanc, en particulier, peut vieillir dans des fûts de chêne neuf pour développer un bon goût plus doux, plus épicé. Ces vins sont souvent étiquetés Fumé Blanc.

Les vins peuvent être simples et produits en très grandes

CI-CONTRE *La technologie moderne, comme ces cuves de fermentation réfrigérées à l'établissement Mondavi à Oakville, a été la clé qui a permis au potentiel de la Californie de se développer.*

CLASSIFICATIONS AMÉRICAINES

Les premières zones viticoles américaines (**American Viticultural Areas – AVA**) ont été créées en 1983 pour imposer une certaine classification à l'industrie vinicole américaine en rapide expansion. Elles n'indiquent que la région d'origine d'un vin et n'imposent pas de réglementation sur sa qualité. Elles exigent aussi une indication honnête du cépage. En général, le nom du producteur est un indice plus sûr concernant le style et la qualité d'un vin.

Coup d'œil | Californie

Emplacement La côte ouest des États-Unis.

Cépages Les vins rouges intenses à arôme de cassis sont produits à partir de cabernet-sauvignon, parfois assemblé à du merlot, ou à partir de merlot seul. On trouve un bon pinot noir dans certaines régions fraîches. Le zinfandel se présente sous divers styles: les meilleurs sont épicés et chaleureux. Le style épicé participe aussi aux assemblages avec la syrah, le mourvèdre et le grenache. Le sangiovese et d'autres cépages italiens ont tendance à être épicés, eux aussi. Les vins blancs sont pour la plupart mûrs avec des saveurs de pain grillé. Les cépages en sont le chardonnay, le sauvignon blanc et le riesling, ce dernier ayant tendance à être doux et fruité plutôt que fringant.

Millésimes à rechercher 1999, 1998, 1997, 1995, 1994, 1992.

Suggestions
ROUGES
- **Cline Cellars** Zinfandel de Californie ②
- **Ridge** Coastal Range Zinfandel ③
- **Ravenswood** Sonoma Valley Zinfandel ③
- **Saintsbury** Pinot noir ③
- **Au Bon Climat** Pinot noir du comté de Santa Barbara ③
- **Qupé** Syrah ③
- **Beringer** Cabernet-Sauvignon de la Knight's Valley ④
- **Bonny Doon** Le Cigare Volant ④
- **Beaulieu Vineyard** Cabernet-Sauvignon Georges de Latour ⑤
- **Matanzas Creek** Merlot ⑤

- **Laurel Glen** Cabernet-Sauvignon ⑤
- **Spottswoode** Cabernet-Sauvignon ⑤
- **Caymus** Cabernet-Sauvignon ⑤

BLANCS
- **Clos du Bois** Chardonnay de Sonoma ②
- **Beringer** Chardonnay de Napa Valley ②
- **Newton** Chardonnay Étiquette rouge ④
- **Calera** Viognier ④
- **Kistler** Chardonnay de Sonoma Valley ⑤

MOUSSEUX
- **Mumm** Cuvée Napa Brut ③
- **Roederer Estate** Anderson Valley Brut ③

DOUX FORTIFIÉ
- **Quady** Muscat noir Elysium ③

Suggestions plus abordables
Les vins de Californie excitants coûtent cher. Ceux qui suivent sont moins coûteux et donnent une idée des styles, mais on ne doit pas s'attendre aux merveilles de la sélection principale.

ROUGES
- **Sutter Home** Zinfandel ①
- **Cline Cellars** Côtes d'Oakley ①
- **Pepperwood Grove** Cabernet franc ②
- **Redwood Trail** Pinot noir ②
- **Fetzer** Zinfandel ②
- **Marietta** Old Vine Red Lot 22 ②

BLANCS
- **Glen Ellen** Chardonnay ①
- **Fetzer** Viognier ②
- **St-Supéry** Sauvignon blanc ②
- **Fetzer** Mendocino Barrel Select Chardonnay ②

Termes œnologiques | **Meritage**

Les producteurs californiens ont lancé ce terme de marketing pour décrire des vins faits des mêmes variétés de cépages que les vins classiques de Bordeaux, en France. Il peut s'appliquer à des rouges et à des blancs résultant d'assemblages de **cabernet-sauvignon**, de **merlot** et de **cabernet franc** et à des assemblages de **sauvignon/sémillon** blancs. Cependant, on voit rarement ce terme sur les étiquettes, puisque la plupart des vins «meritage» sont vendus sous un nom de propriétaire digne de confiance. Si un vin californien est appelé par exemple Tapestry, Anthology, Elevage, Hommage ou Affinity, il est probable que ce soit un assemblage «meritage».

quantités, ou riches, complexes et coûteux, produits en quantités artisanales. Votre choix dépend de la somme que vous voulez dépenser. Mais n'oubliez pas qu'en choisissant les rouges-cultes les plus chers, vous pouvez payer autant pour l'ego du producteur que pour la qualité du vin: la Californie est un endroit où on peut produire un vin de qualité ultra-supérieure de classe mondiale en disant simplement qu'on le fait, tout en exigeant un prix ultrasupérieur de classe mondiale. Pour les vins qui sont réellement de classe mondiale (et abordables), et la Californie en compte beaucoup, commencez par rechercher une longue tradition de qualité.

L'éventail des saveurs se développe actuellement, car de plus en plus de producteurs s'intéressent aux cépages d'Italie et de la vallée du Rhône: le sangiovese est intéressant, comme la syrah, le grenache, le mourvèdre et d'autres. Ils permettent d'élaborer des rouges très épicés qui attirent l'attention. L'aromatique Viognier blanc du Rhône devient lui aussi populaire. Les mousseux subissent maintenant fortement l'influence du Champagne, en partie parce que de nombreuses maisons champenoises se sont établies ici. Quelques Sémillons doux de style Sauternes et quelques Muscats doux fortifiés ont des saveurs de fruits très mûrs.

Le zinfandel mérite une attention spéciale. Ce cépage est de la même variété que le primitivo, un cépage rouge rustique du sud de l'Italie, mais il a acquis une réputation jamais égalée par le primitivo. Les meilleurs donnent des vins opulents et très fruités, avec des tanins mûrs et enrobés; c'est le cépage le plus polyvalent qui peut donner tous les styles, qu'il s'agisse de vins de tous les jours doux et juteux, de rosés doux habituellement appelés *blush*, ou de rouges les plus costauds.

L'importance des régions

Les AVA (*American Viticultural Areas*) n'ont pas la même importance que les régions AC française ou DOC italienne. Les AVA sont des appellations délimitées, mais elles ne correspondent pas à un système inspiré du modèle européen. Il n'y a pas de réglementations quant aux cépages qu'on peut cultiver ici ou aux styles qu'on peut élaborer. C'est le paradis du viticulteur: on peut faire ce qu'on veut, où on veut, dans la mesure où la nature le permet et où on estime pouvoir vendre le produit.

Néanmoins, certaines régions conviennent particulièrement à des cépages ou à des styles en particulier. La Napa Valley est la plus célèbre de Californie. C'est là que sont situés les établissements les plus réputés, et les vins rouges qui y sont élaborés, en particulier les Cabernets-Sauvignons et les Merlots, sont considérés comme les classiques de la Californie. Stags Leap et Rutherford sont des sous-régions remarquables pour le Cabernet-Sauvignon. Le comté de Sonoma est situé près de la Napa Valley, et on y trouve d'excellents vins blancs et rouges. Ces derniers sont généralement un peu plus délicats et plus ronds que ceux de Napa. Deux sous-régions (Dry Creek Valley et Russian River Valley) produisent un Chardonnay excitant et un Zinfandel et un Pinot noir inspirés. Au sud de Napa et de Sonoma, à la frontière de ces deux régions, on trouve Los Carneros, une région fraîche et brumeuse célèbre pour son Chardonnay, son Pinot noir et son mousseux.

Au sud de San Francisco, des régions de vignobles sont dispersées tout le long de la côte jusqu'à Los Angeles. Les plus importantes sont Monterey, San Luis Obispo et, surtout, Santa Barbara, y compris la Santa Maria Valley, où sont cultivés certains des meilleurs pinot noir et chardonnay de Californie. Plus loin à l'intérieur, la région des contreforts de la Sierra produit un excellent Zinfandel, et la Central Valley (aussi appelée San Joaquin) est une vaste région agro-alimentaire qui élabore la plus grande partie du vin californien de tous les jours. Si l'étiquette indique North Coast, il s'agit de la grande région au nord de San Francisco allant jusqu'à Mendocino. Central Coast indique les vignobles au sud de San Francisco.

L'importance des millésimes

Seulement pour les vins les meilleurs et les régions les plus fraîches. La variation des millésimes n'est jamais aussi importante qu'en Bordelais. Consulter *Coup d'œil*, page 118.

Quand les boire

Presque tous les vins californiens peuvent être bus immédiatement; seuls les meilleurs vieilliront. Comme ces derniers coûtent très cher, il vaut mieux les réserver pour des occasions spéciales.

Coup d'œil | Washington et Oregon

Emplacement Ces deux États sont situés dans le nord-ouest des États-Unis. Ils forment avec l'Idaho, l'État voisin, le «nord-ouest du Pacifique».

Cépages En Oregon, le pinot noir pour les vins rouges et le pinot gris, le pinot blanc et le chardonnay pour les vins blancs; dans l'État de Washington, le cabernet-sauvignon et le merlot pour la plupart des vins rouges; le chardonnay, le semillon, le riesling et le sauvignon blanc pour les vins blancs.

① Willamette Valley
② Yakima Valley
③ Walla Walla

Millésimes à rechercher
(Pinot noir, Oregon) 1999, 1996, 1994. Le Cabernet et le Merlot de l'État de Washington sont bons, en règle générale.

Millésimes à éviter
(Pinot noir, Oregon) 1995.

Suggestions
À quelques exceptions près, les vins de l'État de Washington et de l'Oregon sont difficiles à trouver hors des États-Unis.

ROUGES
- **Chateau Ste Michelle** Cabernet-Sauvignon, versant sud, Washington ②
- **Adelsheim** Pinot noir, Oregon ②
- **Columbia Crest** Merlot, Washington ②
- **Rex Hill** Pinot noir, Oregon ③
- **L'École No. 41** Merlot, Washington ④
- **Domaine Drouhin** Pinot noir, Oregon ⑤
- **Andrew Will** Seven Hills Merlot, Washington ⑤

BLANCS
- **Columbia Crest** Chardonnay, Washington ②
- **Argyle** Dry Riesling, Oregon ②
- **Cooper Mountain** Pinot gris, Oregon ②

CI-DESSUS *Le Merlot velouté est le meilleur d'une excellente gamme de vins de la propriété vinicole L'École No. 41 de l'État de Washington.* À DROITE *Dans l'État de Washington, les Cascades Mountains mettent la Yakima Valley à l'abri de la pluie, et la culture des vignes dépend de l'irrigation.*

Le prix

Ces vins coûtent relativement cher comparé à ceux d'autres pays, surtout ceux de basse catégorie. Le prix des vins de haute qualité est à la hausse, car les producteurs semblent se concurrencer pour produire le Cabernet ou le Chardonnay le plus cher. Le prix du Pinot noir s'approche de celui de son équivalent de Bourgogne; il en est de même pour les meilleurs Cabernets, par rapport aux meilleurs Bordeaux.

État de Washington et Oregon

Ces régions sont devenues vinicoles après la Californie et, en comparaison, continuent à se chercher leur place. Les deux États produisent des styles assez différents, la chaîne montagneuse des Cascades formant une frontière nette. À l'ouest, on trouve les vignobles de l'Oregon et quelques-uns de l'État de Washington. Les vins qui y sont produits sont légers, avec un Pinot noir soyeux aux arômes de fraise, un Chardonnay austère et noisetté, un bon Pinot gris épicé, un Pinot blanc relativement neutre et ce bon vieux Riesling.

La plupart des vignobles de l'État de Washington sont situés à l'est des Cascades, et les vins y sont d'un style plus riche. Le Pinot noir laisse la place au Cabernet-Sauvignon et au Merlot dans un style intense aux arômes de cassis; les blancs sont mûrs avec des arômes de pain grillé, à partir des cépages chardonnay et de sémillon et plutôt fringants s'ils sont issus du sauvignon blanc. Lorsqu'ils sont élaborés, les rieslings, secs et doux, valent le détour. Et si l'Oregon nous donne d'excellents vins, mais aussi beaucoup de vins surestimés, la production de l'État de Washington est beaucoup plus fiable.

L'importance des régions

Chaque État a son fleuron (le Dundee Hills dans la Willamette Valley en Oregon; la Yakima Valley et le Walla Walla dans l'État de Washington), mais la qualité dépend davantage du producteur que de la région.

L'importance des millésimes

Elle l'est davantage en Oregon que dans l'État de Washington, surtout en ce qui a trait au Pinot noir. Voir *Coup d'œil*, p.120.

Coup d'œil | État de New York

Emplacement L'État de New York est le principal producteur de vins de la côte est.

Cépages Les meilleurs cépages européens sont le merlot et le pinot noir pour les rouges et le chardonnay et le riesling pour les vins blancs. Les cépages américains, ou cépages hybrides, donnent des saveurs très différentes. Ce sont le concord, le baco noir, le chambourcin, le norton, le seyval blanc et le vidal.

① Finger Lakes ② Long Island

Suggestions

Les vins de l'État de New York sont difficiles à trouver hors de l'État.

ROUGES
- **Hargrave** Le Noirien Pinot noir ②
- **Pellegrini** Cabernet-Sauvignon ②
- **Paumanok** Assemblage ③
- **Bedell** Reserve Merlot ④

BLANCS
- **Glenora** Chardonnay ②
- **Lamoreaux Landing** Dry Riesling ②
- **Standing Stone** Riesling ②
- **Fox Run** Reserve Chardonnay ②
- **Gristina** Chardonnay ②
- **Hermann J Wiemer** Chardonnay ②

Quand les boire

N'importe quand. Les rouges de l'État de Washington accompagnent les bons plats.

Le prix

Les vins de l'Oregon coûtent toujours cher, car il n'est pas possible d'y faire de la production intensive. Mais l'État de Washington peut produire des vins savoureux à un prix équitable.

New York

Ici, les meilleurs vins viennent de cépages européens comme le merlot, le pinot noir, le chardonnay et le riesling, mais l'État de New York a une longue tradition avec des cépages indigènes et hybrides américano-européens, qui supportent mieux le climat rude. Les cépages indigènes appartiennent à des espèces différant des variétés européennes et ont des saveurs assez différentes: arôme de fraise, mais avec un parfum floral intense.

Si on suppose qu'on ne parle que de vins européens, eh bien la qualité est plutôt bonne et elle s'améliore. Le Chardonnay est assez léger avec une note de pain grillé; le Riesling a des arômes de fleurs et d'agrumes. Le Merlot tend à y être un peu plus végétal que juteux et fruité, mais le Pinot noir est succulent et satiné.

L'importance des régions
Long Island est la meilleure région, ainsi que les Hamptons et le North Fork. Les Finger Lakes sont également importants.

L'importance des millésimes
On observe une variation des millésimes, mais presque tous les vins doivent être bus jeunes.

Quand les boire
Idéalement, en vacances dans les Hamptons. Sinon, n'importe quand.

Le prix
Ils sont abordables, mais ne vous attendez pas à des aubaines.

Autres régions vinicoles des États-Unis

Presque chaque État élabore des vins, la plupart à partir de cépages indigènes. Une bonne partie d'entre eux ne sont pas connus au-delà de l'État voire la ville où ils sont produits. Cependant, les viticulteurs de nombreux endroits commencent à satisfaire aux demandes de la production des vins modernes pour le marché international.

L'Idaho, dans l'Ouest, connaît un certain succès avec le riesling et le chardonnay. Vers la côte atlantique, la Pennsylvanie, le Maryland et la Virginie produisent des vins acceptables à partir des mêmes cépages ainsi que du Sauvignon blanc, du Merlot et du Cabernet-Sauvignon. Dans le sud, au Texas, on peut trouver du Cabernet-Sauvignon fruité et des Chardonnays et Sauvignons blancs mûrs et attrayants.

Coup d'œil | Canada

Emplacement Les vignobles du Canada sont situés dans le sud de l'Ontario, sur la Côte Ouest et un peu au Québec. Voir la carte à la page 116.

Cépages Pinot noir, merlot et hybrides pour les rouges; chardonnay, pinot gris et hybrides pour les blancs; riesling et vidal pour les blancs et le vin de glace (*icewine*).

Jargon local *VQA: Vintners Quality Alliance*, un organisme qui applique des normes de qualité élevées.

Suggestions
Les vins canadiens sont difficiles à trouver à l'extérieur du pays.

BLANCS
• **Cave Spring** Riesling sec ②
• **Chateau des Charmes** Chardonnay ②
  • **Henry of Pelham** Reserve Chardonnay ②
  • **Burrowing Owl** Pinot gris ②
  • **Hillebrand Estates** Gewürztraminer ②
  • **Lakeview** Riesling ②
  • **Vineland Estates** Reserve Riesling ②
  • **Mission Hill** Grand Reserve Barrel Select Chardonnay ②
ICEWINE (Vin de glace)
• **Inniskillin** ②
ROUGE
• **Thirty Bench** Reserve Blend ②

GAUCHE ET DROITE *La douce et riche saveur du vin de glace (icewine) canadien est une juste récompense après avoir vendangé en plein milieu de l'hiver.*

Canada

LE VIN DE GLACE (icewine) est ici la vedette: des vins blancs doux provenant de raisins cueillis lorsque la température baisse et les fait geler. Ils sont cueillis et pressés avant qu'ils dégèlent: l'eau reste dans la presse et seul le jus doux et poisseux en sort. C'est un vin remarquable, produit en petites quantités à partir de cépages de riesling ou de vidal.

Ce n'est pas un vin de tous les jours. Ainsi, les producteurs canadiens ont amélioré la qualité de leurs vins secs et ils nous offrent maintenant des saveurs légères quoique élégantes, de cépages classiques des climats frais. Le pinot noir et le merlot donnent des rouges agréables et juteux; les vins blancs produits sont des Chardonnays noisettés, des Pinots gris doux et épicés et des Rieslings mordants à arôme d'agrumes. Il existe aussi beaucoup de cépages d'hybrides, qui donnent des rouges simples, parfumés et confiturés ainsi que des blancs demi-secs, mais les meilleurs vins viennent des cépages européens.

L'importance des régions
Les deux principales régions sont le Niagara dans le sud de l'Ontario et la vallée de l'Okanagan en Colombie-Britannique. Ni l'une ni l'autre n'a encore développé un style.

L'importance des millésimes
Les millésimes varient, mais les vins doivent être bus jeunes. Les raisins rouges ne sont pas toujours mûrs, mais les blancs le sont en général.

Quand les boire
Les secs sont de bons vins légers pour toutes les occasions. Il faut traiter les vins de glace avec plus de respect, surtout qu'ils ne peuvent pas être exportés en Union européenne étant donné les réglementations sur le degré d'alcool.

Le prix
Un bon rapport qualité-prix, mais ce ne sont jamais des vins bon marché.

Amérique du Sud

LA GRANDE RÉVOLUTION dans les vins, soit l'arrivée de vins rouges et de vins blancs mûrs et fruités à des prix abordables pour tous, a commencé en Californie dans les années 1970, et a pris son envol en Australie, dans les années 1980. Mais vers la fin du XXᵉ siècle, l'Amérique du Sud a commencé à poser un défi sérieux et se proposait comme candidate au titre de région la plus conviviale du monde du vin. Les raisons étaient simples: le fruit, la saveur et le rapport qualité-prix.

Les vins d'Amérique du Sud sont la plus pure expression du style moderne du Nouveau Monde: les vins rouges ont des saveurs douces et juteuses; les blancs ont des arômes nets, fringants ou grillés. Au Chili et en Argentine, les deux principaux pays exportateurs, les expériences sont à l'ordre du jour, et certains vins extrêmement sérieux se démarquent d'excellents vins de tous les jours.

Le Brésil peut produire des blancs acceptables et, avec l'Uruguay et ses rouges à base de tannat musclés et tanniques, il pourra former une deuxième subdivision en Amérique du Sud, mais pour l'instant, question saveur et rapport qualité-prix, le Chili et l'Argentine viennent au premier rang.

Chili

Ce pays est en route pour la gloire. Le Chili possède de vastes vignobles épargnés par les maladies, qui jouissent d'un ensoleillement continu grâce au barrage que les Andes forment contre la pluie et, en même temps, d'une excellente irrigation. Les vignobles fourmillent de variétés de cépages classiques. Tout cela s'ajoutant à une nouvelle stabilité politique et économique, les vins chiliens étaient prêts, dans les années 1990, à faire irruption sur la scène internationale.

Dans les vins rouges, le Chili est réputé pour son Merlot et son Cabernet doux et juteux; dans les blancs, pour son Chardonnay aux arômes grillés de fruits tropicaux, ainsi que son Sauvignon blanc mordant et fringant. Mais toutes sortes d'autres variétés de cépages font leur apparition: la syrah, le pinot noir, le malbec, le carignan, le cinsaut, le carmenère, le sangiovese, le zinfandel et d'autres, pour les rouges; le riesling, le sémillon, le chenin blanc, le gewürztraminer, le viognier et d'autres, pour les blancs.

Les rouges partagent un style de base généreux en fruits mûrs; les blancs sont frais et ont généralement une bonne acidité, tandis que les cépages aromatiques comme le gewürztraminer et le viognier peuvent être très parfumés. Il existe aussi un rosé un peu foncé ayant un léger parfum de fraise. Leur qualité est tout à fait fiable. Quelques rouges d'un prix astronomique ont été mis sur le marché, mais ceux-là ne sont pas d'une qualité aussi constante.

Coup d'œil | Chili

Emplacement Les vignobles sont principalement situés dans la vallée du centre et dans ses sous-régions (Maipo, Rapel, Curicó et Maule). Dans le Nord, on trouve l'Aconcagua, qui comprend l'importante vallée de Casablanca. Le Sud est considéré comme une région moins importante; elle comprend les sous-régions d'Itata et de Bio-Bio.

Cépages On trouve au Chili tout l'éventail des cépages internationaux. Le merlot et le cabernet-sauvignon sont à la base des principaux vins rouges; le chardonnay et le sauvignon blanc sont les principaux cépages blancs. Plus de la moitié de ceux qu'on croyait être des merlots au Chili sont en fait des carmenères (aussi appelés Grande Vidure), qui produisent des rouges étonnamment doux et juteux un peu comme le Merlot ou des vins délicieusement riches, épicés et pourtant savoureux.

Santiago

① Aconcagua ④ Curicó
② Maipo   ⑤ Maule
③ Rapel

Suggestions
ROUGES
- **Errázuriz** Merlot ②
- **Cono Sur** Pinot noir Reserve ②
- **Viña Casablanca** Santa Isabel Estate Cabernet-Sauvignon ②

- **Casa Lapostolle** Cuvée Alexandre Merlot ②
- **Montes** Alpha Syrah ②
- **Concha y Toro** Don Melchor Cabernet-Sauvignon ③
- **Santa Rita** Casa Real Cabernet-Sauvignon ④

BLANCS
- **La Palmeria** Chardonnay Reserve ②
- **Vina Casablanca** Sauvignon blanc ②

ROSÉ
- **Torres** Santa Digna Cabernet-Sauvignon ②

CI-DESSUS *Don Melchor est le meilleur Cabernet de Concha y Toro, le plus grand établissement du Chili.* À GAUCHE *Le Chili n'est pas un nouveau venu en viticulture. Le vignoble Errázuriz Panquehue de la vallée de l'Aconcagua existe depuis 1870.*

Coup d'œil | Argentine

Emplacement Au centre, Mendoza est de loin la région ayant la plus grande production. Salta dans l'extrême nord et Rio Negro dans le sud commencent à offrir des vins de qualité. Les autres régions sont San Juan et La Rioja dans le nord et San Rafael dans le sud.

Cépages Le malbec rouge et le torrontés blanc sont les principaux cépages, mais on trouve aussi le tempranillo rouge d'Espagne, les variétés rouges italiennes (sangiovese, barbera et bonarda) et des classiques internationaux comme le cabernet, la syrah et le chardonnay.

Suggestions
ROUGES
- **Bodegas Balbi** Malbec ①
- **Santa Julia** Tempranillo ①
- **Norton** Sangiovese ①
- **Finca el Retiro** Syrah ②
- **Vallée de Vistalba** Cabernet-Sauvignon ②
- **Humberto Canale** Malbec ②
- **Catena** Malbec ②

BLANCS
- **Bodegas J and F Lurton** Pinot gris ①
- **Etchart** Torrontés ①
- **Michel Torino** Don David Torrontés ②

Les vignobles d'Argentine sont près des Andes. La haute altitude garde des températures basses, et les montagnes sont une source vitale d'eau.

L'importance des régions

Pour les blancs, il vaut la peine de rechercher des noms de régions au climat frais, Casablanca en particulier.

L'importance des millésimes

Ils ne sont pas vraiment importants, quoique les régions au climat frais comme Casablanca connaissent plus de variations de millésimes.

Quand les boire

Avec des amis, après le travail, au repas, après le repas, tous les jours, à n'importe quelle occasion. Réservez les rouges coûteux pour impressionner les amateurs de Bordeaux rouge.

Le prix

Ils sont très abordables dans 99% des cas. Pour le 1% qui reste, choisissez avec soin afin d'avoir un bon rapport qualité-prix.

Argentine

Si les vins chiliens sont décidément de style international, l'Argentine est l'endroit où on trouve des saveurs et un bon rapport qualité-prix grâce à d'autres variétés de cépages que les plus connus du Nouveau Monde, soit le cabernet-sauvignon, le merlot, le chardonnay et le sauvignon blanc (quoique toutes ces variétés y soient cultivées et qu'on élabore aussi de très bons vins).

Le malbec est le principal cépage rouge de l'Argentine, avec des saveurs d'herbes sauvages et d'épices ainsi que de fruits agréables et juteux; la spécialité de l'Argentine en vin blanc est le Torrontés, un vin aromatique, musqué et sensuel. Les vagues successives d'immigrants de l'Espagne et de l'Italie ont apporté un important choix de cépages, et les barbera, bonarda, sangiovese et tempranillo d'Argentine donnent tous des rouges excitants et délicieusement fruités.

Il a fallu davantage de temps à l'Argentine qu'au Chili pour régler ses problèmes politiques et économiques, de sorte que le pays s'est joint à la scène internationale quelques années plus tard. La qualité n'est pas aussi fiable qu'au Chili, mais les choses progressent rapidement et il semble que, à long terme, l'Argentine sera le pays le plus intéressant des deux.

L'importance des régions

Pas encore. Aucune n'a acquis une forte identité, et la vaste majorité des vins argentins viennent de la région de Mendoza.

L'importance des millésimes

Ils ne le sont pas, et les vins sont pour la plupart faits pour être bus jeunes.

Quand les boire

Quand vous avez envie de goûter à quelque chose qu'on ne trouve nulle part ailleurs. Le torrontés est un cépage à peu près unique au monde. Le malbec est cultivé en France (Bordeaux et Cahors), et les barbera, bonarda et sangiovese en Italie, mais jamais avec de telles saveurs.

Le prix

Très abordables.

Autres pays

Le climat du **Mexique** est sec et très chaud. L'irrigation a permis la culture de cépages rouges aimant la chaleur à Baja California dans le nord et dans les vignobles en haute altitude, plus au sud. Le cabernet-sauvignon puissant et rustique et la petite sirah confiturée sont les principaux cépages, mais on trouve aussi du malbec, du grenache, du merlot, du zinfandel et du nebbiolo. Les blancs ne sont pas une réussite.

Le **Brésil** a pour objectif la quantité et, dans la plupart des régions tropicales, les vignobles produisent deux récoltes par année. Les vins blancs sont les mieux réussis, mais ils sont généralement dilués; les rouges sont très légers.

L'**Uruguay** a plus de potentiel et réussit particulièrement bien les vins faits du rare cépage rouge tannat, une variété du sud-ouest de la France.

Le **Pérou** utilise la majeure partie de ses cépages pour faire du Pisco, le cognac local, mais on produit du vin dans la région méridionale d'Ica.

La **Bolivie** elle aussi favorise la production de cognac, mais également quelques vins de table faits à base de muscat. Le **Paraguay**, l'**Équateur**, le **Venezuela** et la **Colombie** produisent de faibles quantités de vin.

Australie

L'AUSTRALIE, PAYS BÂTI par des pionniers, est également un pionnier en matière de vins. Une nation qui a dû élaborer ses propres lois à partir de rien n'était sûrement pas du genre à se conformer aux normes des styles classiques de vins. Ainsi, elle a créé les siennes: beaucoup de fruit, une texture opulente et une maturation en fûts de chêne neuf, le tout à un prix abordable. La formule vaut autant pour les vins rouges que pour les blancs. Les vins européens furent le point de départ et les cépages (puisqu'il n'y en a pas d'indigènes en Australie) sont principalement des classiques comme le cabernet-sauvignon, le shiraz (appelé syrah, en France), le chardonnay, le sémillon et le riesling. Cependant, l'Australie a maintenant ses propres styles de vins, et son influence (sans oublier ses vinificateurs de haut calibre) s'est répandue en Europe.

Puisque l'Australie diffère beaucoup de l'Europe par la façon dont fonctionne son industrie vinicole, il vaut la peine de s'y arrêter. Par exemple, chaque État australien producteur de vins élabore presque tous les styles de vins. Si on veut un climat frais, on monte dans les collines et on va vers le sud; si on veut un climat chaud, on se dirige vers le nord, plus près des plaines. De cette façon, il est possible de contrôler si les vins ont un goût mûr, très mûr ou très très mûr. On assiste à une migration vers les climats frais et l'élaboration de vins plus subtils, mais les vins australiens ne perdent jamais ce goût mûr. Voilà la plus importante caractéristique du style australien.

Les vins peuvent provenir d'un vignoble individuel ou d'un assemblage de cépages provenant de chaque État du pays, ou encore se situer quelque part entre les deux. Pensons aux distances et imaginons des raisins transportés par camion de la Hunter Valley au nord de Sydney, par exemple, vers la

CLASSIFICATIONS AUSTRALIENNES

L'Australie s'est dotée du **Labelling Integrity Programme** qui fait en sorte que les étiquettes sont honnêtes quant à la région, au millésime et aux cépages utilisés. Un système d'indications géographiques définit la source des vins australiens en offrant divers degrés de précision. **Produce of Australia** est la plus générale, suivie de **South-Eastern Australia**, une désignation courante pour des assemblages populaires. **State of Origin** vient ensuite et chaque État comprend un certain nombre de **zones**. Les **Regions** sont plus petites et certaines sont subdivisées en sous-régions. Les vins des meilleurs vignobles peuvent être étiquetés comme **Outstanding** (les meilleurs) ou **Superior**.

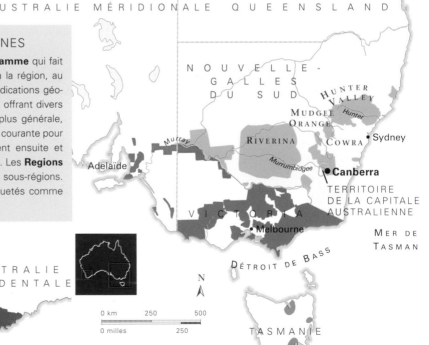

CI-CONTRE *Les vastes plaines de la Upper Hunter Valley dans la Nouvelle-Galles du Sud.*

Barossa Valley près d'Adelaïde, qui arrivent en parfait état, prêts à être transformés en vins mûrs et rafraîchissants. C'est là le type de savoir-faire technique que l'Australie tient pour acquis.

Les vinificateurs de ce pays savent produire des vins goûteux, nets et fruités même dans les conditions climatiques les plus chaudes, les plus sèches et les moins prometteuses, ce qui par le passé aurait été en Europe considéré comme incompatible avec la production de vins dignes d'être bus. L'Australie a changé tout cela grâce à l'introduction de la fermentation réfrigérée, pour les blancs et les vins rouges, ce qui constitue le plus grand progrès de la technologie de la vinification au XXe siècle. On ne pourra jamais exagérer l'influence de l'Australie sur la saveur des vins que nous goûtons.

Nouvelle-Galles du Sud

La Nouvelle-Galles du Sud est réputée pour ses vins très corsés et mûrs, tous charnus et savoureux, soit les classiques australiens originels que l'on retrouve dans les régions de Hunter Valley et de Cowra. Le Chardonnay est gras et regorge de fruits tropicaux et d'arôme de pain grillé, la quintessence du style mûr et grillé, et le Cabernet (surtout celui de Mudgee) est tout aussi riche et mûr, avec un arôme intense de cassis et plus encore. Le Shiraz est riche, aux arômes de petits fruits et de cuir, épicé et corsé à souhait.

Mais la Hunter Valley réserve une surprise: le semillon. Ce raisin se trouve beaucoup dans le Bordelais, où il est presque toujours assemblé, dans le cas des vins blancs secs ou doux, avec du sauvignon blanc. Dans la Hunter Valley, il est vinifié seul, pour donner l'un des styles classiques propres à l'Australie. Lorsque le Sémillon vieillit dans des fûts de chêne neuf, il mûrit et développe un parfum de pain grillé, plein d'agrumes; autrement, il est presque neutre lorsqu'il est jeune, et acquiert, avec les années, une merveilleuse touche de pain grillé, alliée à une richesse de cire et de lanoline, ainsi qu'un soupçon de nectarine.

La principale région de la Nouvelle-Galles du Sud est Riverina. Les saveurs y sont généralement fraîches et simples, mûres et juteuses, mais on trouve des vins plus boisés et plus concentrés, ainsi qu'un ou deux vins très doux et dorés.

Coup d'œil | Nouvelle-Galles du Sud

Emplacement Le bas et le haut de la Hunter Valley, Mudgee, Cowra, Orange et Riberina sont les principales régions vinicoles. Voir la carte à la page 128.

Cépages Pour les vins blancs, le semillon et le chardonnay mûrs et grillés; pour les rouges, le shiraz épicé et chaleureux et le cabernet intense aux arômes de cassis.

Suggestions
ROUGES
• **Reynolds** Shiraz ②
• **Brokenwood** Shiraz ③

• **Tyrrell's** Vat 9 Shiraz ④
• **Rosemount** Mountain Blue Shiraz/Cabernet ⑤
BLANCS
• **Rothbury** Semillon ②
• **Brokenwood** Semillon ②
• **Allandale** Chardonnay ②
• **McWilliams** Elizabeth Semillon ②
• **Rosemount Estate** Orange Vineyard Chardonnay ③
BLANC DOUX
• **De Bortoli** Noble One Botrytis Semillon ⑤

Coup d'œil | Victoria

Emplacement La Yarra Valley, le Rutherglen et le Glenrowan sont les régions les plus importantes.

Cépages Les meilleurs sont le muscat et le muscadelle doux (tokay), ainsi que les subtils pinot noir et chardonnay.

Jargon local Les muscats de Rutherglen se répartissent entre quatre classes de qualité, soit, par ordre ascendant, Rutherglen, Classic, Grand et Rare.

Millésimes à rechercher (Yarra) 1998, 1997, 1995, 1994, 1993, 1991, 1990.

Suggestions
ROUGES
• **De Bortoli** Pinot noir ③
• **Mount Langi Ghiran** Shiraz ③
• **Yarra Yering** Dry Red No.1 ⑤
• **Mount Mary** Cabernets Quintet ⑤

① Rutherglen et Glenrowan
② Yarra Valley

BLANCS
• **Chateau Tahbilk** Marsanne ②
• **Delatite** Riesling ③
• **Tarrawarra** Chardonnay ④
MOUSSEUX
• **Green Point** ③
• **Seppelt** Show Reserve Sparkling shiraz (rouge) ③
FORTIFIÉ
• **Morris** Grand Rutherglen Muscat ⑤

L'importance des régions
Elles le sont, mais le producteur a davantage d'importance. Cependant, le Semillon non boisé de Hunter Valley est un style unique en son genre. Les vins de l'Orange ont une intensité de fruits mince et fascinante.

L'importance des millésimes
Pas vraiment, sauf pour les rouges de la Hunter Valley.

Quand les boire
N'importe quand, pour des saveurs grasses et savoureuses. Presque tous peuvent être bus jeunes; mais le Semillon non boisé, lui, doit vieillir. Quant aux repas, il leur faut des saveurs fortes et marquées... comme un steak de kangourou cuit sur le gril!

Le prix
La plupart sont abordables. Les vins de grande qualité coûtent cher, mais ils en valent la peine.

Victoria
C'est de cette région que proviennent certains des vins australiens les plus particuliers, soit des styles qu'aucun autre pays du monde ne produit. On y trouve des Muscats et des Muscadelles (appelés ici Tokays) doux, fortifiés, foncés et chaleureux. Ils ne peuvent rivaliser avec le porto en saveur, mais d'excellents vins de style porto sont élaborés ici, ainsi que des vins de style xérès. Ils ont un caractère confituré et d'intenses saveurs de café et de caramel, de raisin sec et de noix, parfois de pétales de rose, qui surprennent presque par leur richesse. Les vins les plus foncés et les plus denses sont presque sirupeux.

La région de Victoria produit aussi des vins de climat frais, dont certains des Pinots noirs de la Yarra Valley, les plus savoureux du pays. Les meilleurs peuvent se comparer aux bons Bourgognes. Les mousseux qui y sont produits sont également excellents.

Les autres vont des vins peu coûteux de production intensive de Murray Darling jusqu'aux élégants rouges et blancs (aux saveurs bien définies) provenant des régions au climat plus frais, près de la côte. On trouve quelques vins charnus opulents, mais pas autant qu'en Nouvelle-Galles du Sud.

Dans les collines de la Yarra Valley, à Victoria, on trouve des cépages qui donnent certains des meilleurs mousseux et Pinots noirs d'Australie.

L'importance des régions

La Yarra Valley donne des vins élégants aux saveurs caractéristiques: le Chardonnay est ici plus intense et noisetté que riche et grillé. Plusieurs petites régions sont situées autour de Melbourne. La péninsule de Mornington et Geelong ont un climat frais, mais qui se réchauffe au fur et à mesure qu'on se dirige vers le nord, et les vins deviennent plus riches et plus costauds dans la Goulburn Valley et le Bendigo. Les régions du Rutherglen et du Glenrowan sont idéales pour l'élaboration de vins fortifiés.

L'importance des millésimes

Dans la Yarra Valley et près de Melbourne, ils sont importants, mais ailleurs, pas autant. Consulter *Coup d'œil*, page 130.

Quand les boire

Les meilleurs vins (rouges et blancs) de la Yarra Valley: pour une occasion spéciale. Les Muscats fortifiés vont bien avec le chocolat, avec la glace... ou se dégustent très bien seuls.

Le prix

Les meilleurs Pinots de la Yarra Valley sont assez coûteux et la qualité des millésimes varie comme dans le cas des Bourgognes rouges. Les Muscats fortifiés sont également coûteux, surtout les plus âgés, mais ils en valent la peine.

L'Australie méridionale

L'Australie méridionale produit d'énormes quantités de vins, plus que tout autre État du pays, allant des vins légers aux vins savoureux, et des vins blancs et des rouges de tous les jours aux vins à servir lors de grandes occasions et qui coûtent plus cher. On y trouve de tout. Il y a toujours l'incontournable Chardonnay aux saveurs grillées, mais l'Australie méridionale a également ses styles uniques.

Le Shiraz de la Barossa Valley (provenant de très vieux cépages, parfois âgés d'un siècle) est extraordinairement dense, épicé et débordant de fruits surmûris: attendez-vous à des tanins doux et à des arômes de vieux cuir, d'épices, de terre fraîche et de mûre. Celui de McLaren Vale lui ressemble. Et le Grenache, lui aussi provenant de cépages très vieux, offre un festival de saveurs herbacées et fruitées.

Les Rieslings de Clare Valley et d'Eden Valley ont établi un nouveau style-référence à partir du cépage du même nom. Ils ne sont pas aussi mordants que les Rieslings allemands ou alsaciens, mais ont plutôt un arôme de pain grillé et d'agrumes.

Le Cabernet de Coonawarra donne probablement le meilleur de ce que tout Cabernet-Sauvignon pourrait livrer: intense et avec un arôme de cassis, mais avec un éclat fruité difficile à trouver ailleurs et une splendide composante mentholée.

L'importance des régions

Les régions sont importantes, mais c'est un véritable casse-tête. Les vins des collines d'Adélaïde sont généralement frais et métalliques, fruités aussi; ceux de Barossa sont plus corsés

Coup d'œil | Australie méridionale

Emplacement Les meilleurs vins viennent de la Barossa Valley, de l'Eden Valley, de la Clare Valley, des monts Adélaïde, des Southern Vales, du Coonawarra et du Padthaway. Le Riverland est la région qui produit le plus.

Cépages Un peu de tout. Les classiques sont le chiraz, le cabernet-sauvignon et le riesling.

Jargon local Il ne faut pas confondre l'Australie méridionale (South Australia) avec l'appellation plus générale sud-est de l'Australie (South-Eastern Australia).

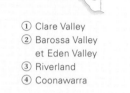

① Clare Valley
② Barossa Valley et Eden Valley
③ Riverland
④ Coonawarra

Suggestions

ROUGES
- **Peter Lehmann** Grenache ①
- **D'Arenberg** The Footbolt Grenache/Shiraz ②
- **St Hallett** Gamekeeper's Reserve ②
- **Penfolds** Bin 28 Kalimna Shiraz ②
- **Tim Adams** The Fergus ②
  - **Wolf Blass** President/Selection Shiraz ③
  - **Lenswood** Pinot noir ③
  - **Chateau Reynella** Basket Pressed Shiraz ③
  - **Penley Estate** Cabernet-Sauvignon ③
  - **Rockford** Basket Press Shiraz ③
  - **Hollick** Ravenswood Cabernet-Sauvignon ⑤

BLANCS
- **Penfolds** Bin 202 Riesling ①
- **Wynns** Coonawarra Riesling ①
- **Yalumba** Oxford Landing Sauvignon Blanc ①
- **Tim Adams** Semillon ②
- **Shaw and Smith** Unoaked Chardonnay ②
- **Grosset** Polish Hill Riesling ③
- **Petaluma** Chardonnay ③
- **Mountadam** Chardonnay ③

SUD-EST DE L'AUSTRALIE
- **Lindemans** Bin 65 Chardonnay ① (un classique d'assemblage abordable, du sud-est de l'Australie)

CI-DESSUS *Le meilleur Shiraz d'Australie est le Penfolds Grange, élaboré à partir des meilleurs raisins de nombreux vignobles.* À DROITE *Barossa est plus qu'une région viticole. C'est également le principal centre d'assemblage et de mise en bouteille des vins australiens.*

et plus musclés, et ceux de Coonawarra, de Clare et d'Eden sont intenses sans être musclés. Les autres régions, comme le Riverland qui fait de la production intensive, donnent des vins aux saveurs très corsées, ultramûres.

L'importance des millésimes

Ils ne sont pas vraiment importants.

Quand les boire

Les Cabernets de Coonawarra accompagnent bien, au lunch, un gigot d'agneau à l'ail et au romarin. Le Shiraz de Barossa, corsé, est plutôt à boire au repas du soir. Les Rieslings de Clare et d'Eden sont parfaits au crépuscule. Quant au Grenache, quand vous le désirez.

Le prix

Il existe une multitude de ces vins bon marché et délicieux. Les meilleurs coûtent cher, mais demeurent des classiques de l'Australie. Le mieux à faire est de les boire de temps en temps pour se rappeler à quel point ils sont étonnants.

Australie occidentale

On y trouve de tout, des vins riches et gras à d'autres plus élégants et plus réservés. Les meilleurs ont une bonne structure et sont très complexes. La qualité va de bonne à excellente.

L'importance des régions ou des millésimes

Margaret River, Great Southern et Pemberton sont des régions où le climat est frais et donne des vins satinés; le Swan District possède un climat chaud. Les millésimes sont plutôt fiables.

Quand les boire

N'importe quand, quoique les meilleurs méritent d'accompagner des plats très fins et d'être bus lors d'occasions spéciales.

Le prix

On trouve ici moins de vins abordables que dans l'Australie méridionale, mais le rapport qualité-prix est bon dans toutes les catégories.

Tasmanie

On y trouve les vins les plus légers et vifs de toute l'Australie. Il n'y s'en produit pas beaucoup, et les coûts élevés de la production correspondent à leur prix. Mais on découvre le délicat Pinot noir, avec son fruité étonnamment intense, des Chardonnays et des Rieslings élégants et un très bon mousseux.

L'importance des régions et des millésimes

Le nom du producteur est la chose la plus importante.

Quand les boire

N'importe quand.

Le prix

Ce ne sont pas des vins à faible prix, mais ils peuvent être bons.

Coup d'œil | Australie occidentale

Emplacement Consultez la carte à la page 128. Les meilleures régions sont celles de Margaret River, de Great Southern et de Pemberton. Le disctrict de Swan, près de Perth, est la région la plus importante.

Cépages Les habituels cabernet-sauvignon, shiraz, chardonnay, riesling et sauvignon blanc, et les cépages blancs chenin blanc et verdelho.

Suggestions
ROUGES
- **Moss Wood** Pinot noir ③
- **Cullen** Cabernet/Merlot ④
- **Howard Park** Cabernet/Merlot ⑤
BLANCS
- **Cape Mentelle** Semillon/Sauvignon blanc ②
- **Leeuwin Estate** Chardonnay ⑤

Coup d'œil | Tasmanie

Emplacement L'île de Tasmanie est l'endroit le plus au sud, le plus froid et le plus humide de l'Australie. Consultez la carte à la page 128.

Cépages Pour les vins blancs, des chardonnays intenses et noisettés; pour les rouges, des pinots noirs au goût de fraise (des mousseux sont élaborés à partir de ces deux cépages); quelques cabernets au goût d'herbe et de cassis.

Suggestions
Les vins de Tasmanie ne se trouvent pas facilement en dehors de l'Australie.
ROUGES
- **Freycinet** Pinot noir ③
- **Domaine A** Pinot noir ③
BLANCS
- **Moorilla** Chardonnay ③
- **Pipers Brook** Riesling ③
MOUSSEUX
- **Pipers Brook** Pirie ④

Nouvelle-Zélande

VOICI OÙ EST APPARU le Sauvignon blanc de référence dans le Nouveau Monde, ce vin vif et fringant. Il est très récent, les premiers sauvignons blancs ayant été plantés à Marlborough (une région désormais classique dans le cas de ce cépage) en 1973. Il a presque tout de suite permis d'élaborer ce qu'un Sauvignon blanc devait être. Jusque-là, le Sancerre et les autres Sauvignons de la vallée de la Loire étaient les seules normes. Le Sauvignon de Nouvelle-Zélande est plus agressif, plus exubérant, plus marqué par la groseille à maquereau, plus piquant, alors que le Sancerre est plus rond, plus subtil, quoique moins fiable. Le Sauvignon blanc, en Nouvelle-Zélande, et peu importe le niveau de qualité, a ce fruité apparenté à la groseille à maquereau et au bourgeon de cassis. Il est tout simplement irrésistible.

Mais il n'y a pas que le Sauvignon blanc. En général, on y trouve des styles du Nouveau Monde de climat frais plus légers et minces que les vins australiens, et des cépages qui ne réussissent pas aussi bien en Australie, comme un pinot noir particulièrement subtil et moelleux. Il y a de bons Chardonnay noisettés, des Rieslings à l'arôme de pain grillé, de styles fruités et floraux, ainsi que d'excellents mousseux. On cultive aussi du cabernet-sauvignon et du merlot, mais ils sont plus herbacés que fruités, surtout dans le cas du cabernet.

L'importance des régions
Le climat varie du nord de l'Île du Nord, où il fait très doux, au sud de l'Île du Sud, où il fait manifestement froid, et voilà l'explication. Les principales régions sont Marlborough pour le sauvignon blanc et les mousseux, Hawke's Bay pour le cabernet et le merlot et Martinborough pour le pinot noir. On y cultive le chardonnay presque partout.

L'importance des millésimes
Les millésimes sont importants, mais peu de vins méritent de vieillir. Achetez des vins des années récentes et buvez-les jeunes.

Quand les boire
N'importe quand. Les Sauvignons blancs-cultes comme le Cloudy Bay impressionneront vos amis amateurs de vins.

Le prix
Les vins de Nouvelle-Zélande ne seront jamais les moins coûteux à élaborer, et la plupart des producteurs optent ainsi pour la qualité. Il vaut la peine de dépenser un peu plus et d'obtenir un produit extraordinaire.

Afrique du Sud

L'AFRIQUE DU SUD est arrivée relativement tard sur la scène vinicole internationale. Elle a entrepris, dans le domaine vinicole, un apprentissage et un développement extrêmement rapide depuis la fin de l'apartheid, au début des années 1990, et forcément depuis la fin de son isolement international. Année après année, elle rattrape son retard.

On y élabore tous les styles possibles, des vins blancs vifs et fringants, d'autres plantureux et noisettés ou encore des blancs riches aux saveurs de grillé. On trouve aussi des rouges comme des Cinsauts légers et juteux, des Pinots noirs à la douceur de fraise, des Cabernets étonnants à arôme de cassis ainsi que des Shiraz et des Pinotages épicés et explosifs. Il y a également des vins fortifiés, certains apparentés au Xérès, légers et secs, et d'autres dans le style du Porto, doux et foncés.

On retrouve dans ce pays tous les cépages internationaux les plus aimés, soit le cabernet-sauvignon, le merlot, le chardonnay et le sauvignon blanc, ainsi que du chenin blanc, utilisé surtout pour les blancs de tous les jours. Mais un Chenin élaboré à

Coup d'œil | Nouvelle-Zélande

Emplacement Le plus austral des pays vinicoles de l'hémisphère sud.

Cépages Pour les meilleurs blancs: sauvignon blanc, chardonnay, riesling (doux et sec) et gewürztraminer; le müller-thurgau est carrément inférieur. Pour les rouges: cabernet-sauvignon, merlot et pinot noir. Les styles varient du nord au sud. Le sauvignon blanc de Hawke's Bay est plus doux et mûr que le style fringant et apparenté à la groseille à maquereau du marlborough. Le chardonnay est plus riche dans le nord. Le pinot noir donne de bons résultats dans le Martinborough et l'Otago, mais le cabernet et le merlot réussissent mieux dans le nord.

① Auckland
② Gisborne
③ Hawke's Bay
④ Wairarapa (y compris Martinborough)
⑤ Nelson
⑥ Marlborough
⑦ Canterbury
⑧ Central Otago

Suggestions

ROUGES
- **Corbans** North Island Merlot ②
- **Martinborough Vineyards** Pinot noir ③

BLANCS
- **Giesen** Dry Riesling ②
- **Villa Maria** Private Bin Sauvignon blanc ②
- **Palliser Estate** Sauvignon blanc ②
- **Montana** «O» Ormond Estate Chardonnay ③
- **Kumeu River** Chardonnay ③
- **Cloudy Bay** Sauvignon blanc ③

MOUSSEUX
- **Deutz** Cuvée Marlborough ③
- **Cloudy Bay** Pelorus ③

CLOUDY BAY

SAUVIGNON BLANC 1998

À GAUCHE *L'impressionnante vue qu'on a à partir de Rippon Vineyard dans l'Otago rappelle constamment le climat frais de la région.* CI-DESSUS *Un autre vignoble à l'aspect impressionnant a inspiré l'étiquette du Cloudy Bay, qui est probablement le vin le plus célèbre de la Nouvelle-Zélande.*

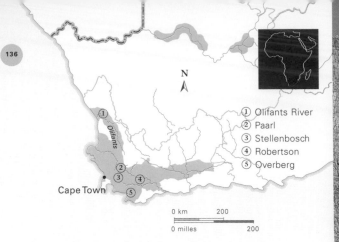

① Olifants River
② Paarl
③ Stellenbosch
④ Robertson
⑤ Overberg

Cape Town

0 km · · · 200
0 milles · · · 200

Coup d'œil | Afrique du Sud

Emplacement Presque toutes les régions vinicoles sont concentrées autour du Cap, dans le sud-ouest du pays. Les districts de Paarl et Stellenbosch de la vaste zone côtière sont les mieux établis. Celui de Robertson donne du bon Chardonnay. L'Overberg (y compris Walker Bay) tout au sud, au climat plus frais, est prometteur pour le Pinot noir. La région d'Olifants River produit du vin en vastes quantités.

Cépages Le pinotage est le cépage rouge propre à l'Afrique du Sud. Le cabernet-sauvignon et le merlot sont répandus. La syrah/shiraz et d'autres rouges du Rhône, ainsi que le zinfandel de Californie, s'ajoutent au répertoire. Quant aux blancs, on cultive beaucoup de chardonnay et de sauvignon blanc ainsi qu'un peu de riesling. Le chenin blanc sert à élaborer les vins blancs les plus ordinaires et quelques autres de grande qualité.

Jargon local *Wine of Origin (WO)*: cette indication en haut de l'étiquette est la garantie de la région d'origine du vin, de la ou des variétés de cépages et du millésime. *Estate wine*: un vin élaboré et produit dans un domaine enregistré, ce qui est généralement un signe de bonne qualité.

Suggestions
ROUGES
- **Fairview** Cabernet-Sauvignon ②
- **Kaapzicht** Shiraz ②
- **Warwick** Traditional Old Bush Vine Pinotage ②
- **Bouchard Finlayson** Pinot noir ③
- **Kanonkop** Pinotage ③
- **Hamilton Russell** Pinot noir ③

BLANCS
- **Buitenverwachting** Riesling ②
- **L'Avenir** Chenin blanc ②
- **Glen Carlou** Reserve Chardonnay ③
- **Thelema** Sauvignon blanc ③

CI-CONTRE *Les montagnes Draskenberg surplombent les élégantes résidences du XVIIᵉ siècle du vignoble Boschendal (Paarl).*

partir de vieux cépages est un bon produit qui pourrait devenir une vedette au Cap. La spécialité du pays est le pinotage, à partir duquel on produit des rouges légers ou au contraire, très charpentés. Il a une saveur flamboyante de guimauve grillée et de prune qui, dans les meilleurs cas, est unique et fascinante.

La qualité en Afrique du Sud est inégale, en comparaison du Chili ou de l'Australie, avec lesquels elle est en concurrence sur le marché international. Les saveurs peuvent être un peu trop froides, moins attrayantes au premier abord, et les rouges ont une finale souvent anguleuse et piquante. Mais il se fait des progrès.

L'importance des régions
Difficile de trancher. Des régions au climat frais comme Constantia au sud du Cap et Walker Bay dans l'Overberg produisent des styles très individuels, mais la majorité des vins proviennent des régions plus chaudes, dont la production est plus stable, comme Paarl, Stellenbosch et Robertson.

L'importance des millésimes
Ne vous en préoccupez pas pour la majorité des vins.

Quand les boire
À n'importe quelle occasion, mais les rouges sont meilleurs lorsqu'ils accompagnent un repas.

Les prix
Le rapport qualité-prix est rarement parmi les meilleurs du Nouveau Monde, mais le Chenin blanc ne coûte jamais cher et est parfois excellent. Le Pinotage et le Shiraz offrent généralement un bon rapport qualité-prix.

Autres pays producteurs de vin

Méditerranée orientale
Les meilleurs producteurs du Liban sont Château Musar et Kefraya, qui offrent des rouges épicés et chocolatés de classe internationale. Israël produit de bons styles internationaux à partir de cabernet-sauvignon, de chardonnay et autres. On dit constamment que Chypre est à la veille de produire de bons vins, mais nous ne les avons pas encore vus.

Afrique
Le Zimbabwe a une industrie vinicole à ses premiers balbutiements, avec des idées modernes et des ambitions internationales. On y cultive tous les cépages sérieux, et le chardonnay semble prometteur. Les vins d'Afrique du Nord sont sur leur déclin. La croissance massive des vignobles du Maroc, de la Tunisie et de l'Algérie était alimentée par le fait que la France, la puissance coloniale, avait besoin de rouges peu coûteux et à fort degré d'alcool. De nos jours, ils n'ont pas de vrai marché. Les vins sont robustes, solides et à l'ancienne mode.

Asie
L'enthousiasme des populations locales et de sérieux investissements de l'Occident sont les clés du développement du potentiel des régions en Inde, en Chine et au Japon.

Les vins du Liban, de Chine et d'Inde témoignent de l'intérêt, dans le monde entier, envers le développement de régions vinicoles anciennes ou jamais exploitées. Qui sait si la carte du monde des vins ne changera pas dans les années à venir?

Code des appellations

LE PROBLÈME, lorsqu'on achète des vins européens, est que bon nombre d'entre eux sont nommés selon la région d'où ils proviennent, l'appellation, plutôt que selon leur contenu: la ou les variétés de cépages. Et si vous avez entendu parler d'un vin mais que vous n'êtes pas exactement sûr de la région qui correspond à l'appellation, ce peut être fastidieux d'essayer de le trouver chez un détaillant, dans un magasin ou dans un catalogue. Pour vous aider à démêler cet écheveau, vous trouverez dans ce tableau les appellations, leurs styles principaux, les régions et les cépages clés.

CLÉ   🍷 Rouge   🥂 Blanc

Nom	🍷/🥂	Région	Principaux cépages
ALOXE-CORTON	🍷	Côte de Beaune, Bourgogne, France	*Pinot Noir*
ASTI	🥂 (doux/pétillant)	Piémont, nord-ouest de l'Italie	*Muscat (ici appelé Moscato)*
BAIRRADA	🍷	Portugal	*Baga*
BANDOL	🍷	Provence, France	*Mourvèdre/grenache/cinsaut*
BARBARESCO	🍷	Piémont, nord-ouest de l'Italie	*Nebbiolo*
BARDOLINO	🍷	Vénétie, nord-est de l'Italie	*Corvina*
BAROLO	🍷	Piémont, nord-ouest de l'Italie	*Nebbiolo*
BEAUJOLAIS	🍷	Bourgogne, France	*Gamay*
BEAUNE	🍷	Côte de Beaune, Bourgogne, France	*Pinot noir*
BERGERAC	🥂/🍷	Sud-ouest de la France	🍷 *Cabernet sauvignon et franc/ merlot;* 🥂 *sémillon/sauvignon blanc*
BONNEZEAUX	🥂 (doux)	Vallée de la Loire, France	*Chenin blanc*
BOURGUEIL	🍷	Vallée de la Loire, France	*Cabernet franc*
BROUILLY/CÔTE DE BROUILLY	🍷	Beaujolais, Bourgogne, France	*Gamay*
BRUNELLO DI MONTALCINO	🍷	Toscane, centre de l'Italie	*Sangiovese*
CAHORS	🍷	Sud-ouest de la France	*Malbec/merlot/tannat*
CHABLIS	🥂	Bourgogne, France	*Chardonnay*
CHAMBOLLE-MUSIGNY	🍷	Côte de Nuits, Bourgogne, France	*Pinot noir*
CHAMPAGNE	🥂 (mousseux)	Champagne, France	*Chardonnay/pinot noir/pinot meunier*
CHASSAGNE-MONTRACHET	🥂/🍷	Côte de Beaune, Bourgogne, France	🍷 *Pinot noir;* 🥂 *chardonnay*
CHÂTEAUNEUF-DU-PAPE	🍷/🥂	Sud-est de la Vallée du Rhône, France	🍷 *Grenache/syrah;* 🥂 *roussanne*
CHÉNAS	🍷	Beaujolais, Bourgogne, France	*Gamay*
CHIANTI	🍷	Toscane, centre de l'Italie	*Sangiovese*
CHIROUBLES	🍷	Beaujolais, Bourgogne, France	*Gamay*
CONDRIEU	🥂	Nord de la Vallée du Rhône, France	*Viognier*
CORBIÈRES	🍷	Languedoc-Roussillon, France	*Carignan/Grenache/Cinsaut*
CORNAS	🍷	Nord de la Vallée du Rhône, France	*Syrah*
COSTIÈRES DE NÎMES	🍷	Languedoc-Roussillon, France	*Carignan/grenache/mourvèdre/syrah*

Nom	🍷 / 🍷	Région	Principaux cépages
CÔTE DE NUITS-VILLAGES	🍷	Côte de Nuits, Bourgogne, France	*Pinot noir*
CÔTE-RÔTIE	🍷	Nord de la Vallée du Rhône, France	*Syrah*
COTEAUX DU LANGUEDOC	🍷	Languedoc-Roussillon, France	*Carignan/grenache*
COTEAUX DU LAYON	🍷 (doux)	Vallée de la Loire, France	*Chenin blanc*
CÔTES DU ROUSSILLON	🍷	Languedoc-Roussillon, France	*Carignan/cinsaut/grenache*
CROZES-HERMITAGE	🍷 / 🍷	Nord de la Vallée du Rhône, France	🍷 *Syrah;* 🍷 *marsanne/roussanne*
DÃO	🍷	Portugal	*Touriga Nacional/Tinta Roriz (tempranillo)*
DÔLE	🍷	Suisse	*Pinot noir/Gamay*
ENTRE-DEUX-MERS	🍷	Bordeaux, France	*Sémillon/sauvignon blanc*
FAUGÈRES	🍷	Languedoc-Roussillon, France	*Carignan/grenache/syrah*
FITOU	🍷	Languedoc-Roussillon, France	*Carignan/cinsaut/grenache*
FLEURIE	🍷	Beaujolais, Bourgogne, France	*Gamay*
FRASCATI	🍷	Lazio, centre de l'Italie	*Malvoisie/trebbiano*
GAVI	🍷	Piémont, nord-ouest de l'Italie	*Cortese*
GEVREY-CHAMBERTIN	🍷	Côte de Nuits, Bourgogne, France	*Pinot noir*
GIGONDAS	🍷	Sud de la Vallée du Rhône, France	*Grenache*
GIVRY	🍷	Côte chalonnaise, Bourgogne, France	*Pinot noir*
GRAVES	🍷 / 🍷	Bordeaux, France	🍷 *Cabernet sauvignon et franc/ merlot;* 🍷 *sémillon/sauvignon blanc*
HERMITAGE	🍷 / 🍷	Nord de la Vallée du Rhône, France	🍷 *Syrah;* 🍷 *marsanne/roussanne*
JULIÉNAS	🍷	Beaujolais, Bourgogne, France	*Gamay*
LISTRAC	🍷	Haut-Médoc, Bordeaux, France	*Cabernet sauvignon et franc/merlot*
MÂCON/MÂCON-VILLAGES	🍷	Mâconnais, Bourgogne, France	*Chardonnay*
MARGAUX	🍷	Haut-Médoc, Bordeaux, France	*Cabernet sauvignon et franc/merlot*
MÉDOC/HAUT-MÉDOC	🍷	Bordeaux, France	*Cabernet sauvignon et franc/merlot*
MERCUREY	🍷 / 🍷	Côte Chalonnaise, Bourgogne, France	🍷 *Pinot noir;* 🍷 *chardonnay*
MEURSAULT	🍷	Côte de Beaune, Bourgogne, France	*Chardonnay*
MINERVOIS	🍷	Languedoc-Roussillon, France	*Grenache/syrah/mourvèdre*
MONTAGNY	🍷	Côte chalonnaise, Bourgogne, France	*Chardonnay*
MOREY-ST-DENIS	🍷	Côte de Nuits, Bourgogne, France	*Pinot noir*
MORGON	🍷	Beaujolais, Bourgogne, France	*Gamay*
MOULIN-À-VENT	🍷	Beaujolais, Bourgogne, France	*Gamay*
MOULIS	🍷	Haut-Médoc, Bordeaux, France	*Cabernet sauvignon et franc/merlot*
MUSCADET	🍷	Vallée de la Loire, France	*Melon de Bourgogne*
NUITS-ST-GEORGES	🍷	Côte de Nuits, Bourgogne, France	*Pinot noir*
ORVIETO	🍷	Ombrie, centre de l'Italie	*Trebbiano*
PAUILLAC	🍷	Haut-Médoc, Bordeaux, France	*Cabernet sauvignon et franc/merlot*

Nom	🍷 / 🍷	Région	Principaux cépages
PESSAC-LÉOGNAN	🍷 / 🍷	Bordeaux, France	🍷 Cabernet sauvignon et franc/merlot; 🍷 sémillon/sauvignon blanc
POMEROL	🍷	Bordeaux, France	Merlot/cabernet sauvignon et franc
POMMARD	🍷	Côte de Beaune, Bourgogne, France	Pinot noir
POUILLY- FUISSÉ	🍷	Mâconnais, Bourgogne, France	Chardonnay
POUILLY-FUMÉ	🍷	Vallée de la Loire, France	Sauvignon blanc
POUILLY-SUR-LOIRE	🍷	Vallée de la Loire, France	Chasselas
PRIORAT	🍷	Espagne	Grenache
PULIGNY-MONTRACHET	🍷	Côte de Beaune, Bourgogne, France	Chardonnay
QUARTS DE CHAUME	🍷 (doux)	Vallée de la Loire, France	Chenin blanc
RÉGNIÉ	🍷	Beaujolais, Bourgogne, France	Gamay
RÍAS BAIXAS	🍷	Espagne	Albariño
RIBERA DEL DUERO	🍷	Espagne	Tempranillo (ici appelé Tinto Fino)
RIOJA	🍷 / 🍷	Espagne	🍷 Tempranillo/grenache; 🍷 viura
RULLY	🍷 / 🍷	Côte chalonnaise, Bourgogne, France	🍷 Pinot noir; 🍷 chardonnay
SAINT-AMOUR	🍷	Beaujolais, Bourgogne, France	Gamay
SAINT-CHINIAN	🍷	Languedoc-Roussillon, France	Carignan/cinsaut/grenache
SAINT-ÉMILION	🍷	Bordeaux, France	Merlot/cabernet sauvignon et franc
SAINT-ESTÈPHE	🍷	Haut-Médoc, Bordeaux, France	Cabernet sauvignon et franc/merlot
SAINT-JOSEPH	🍷 / 🍷	Nord de la Vallée du Rhône, France	🍷 Syrah; 🍷 marsanne/roussanne
SAINT-JULIEN	🍷	Haut-Médoc, Bordeaux, France	Cabernet sauvignon et franc/merlot
SAINT-NICOLAS-DE-BOURGUEIL	🍷	Vallée de la Loire, France	Cabernet franc
SAINT-VÉRAN	🍷	Mâconnais, Bourgogne, France	Chardonnay
SANCERRE	🍷 / 🍷	Vallée de la Loire, France	🍷 Sauvignon blanc; 🍷 pinot noir
SAUMUR-CHAMPIGNY	🍷	Vallée de la Loire, France	Cabernet franc et sauvignon
SAUTERNES	🍷 (doux)	Bordeaux, France	Sémillon/sauvignon blanc
SAVENNIÈRES	🍷	Vallée de la Loire, France	Chenin blanc
SOAVE	🍷	Vénétie, nord-est de l'Italie	Garganega/trebbiano
TORO	🍷	Espagne	Tempranillo (ici appelé Tinto del Toro)
VACQUEYRAS	🍷	Sud de la Vallée du Rhône, France	Grenache/syrah/mourvèdre
VALPOLICELLA	🍷	Vénétie, nord de l'Italie	Corvina
VINO NOBILE DI MONTEPULCIANO	🍷	Toscane, centre de l'Italie	Sangiovese
VOLNAY	🍷	Côte de Beaune, Bourgogne, France	Pinot noir
VOSNE-ROMANÉE	🍷	Côte de Nuits, Bourgogne, France	Pinot noir
VOUGEOT	🍷	Côte de Nuits, Bourgogne, France	Pinot noir
VOUVRAY	🍷	Vallée de la Loire, France	Chenin blanc

Glossaire

Acidité: Présente à l'état naturel dans le raisin, l'acidité apporte au vin fraîcheur et nervosité.

Appellation: Aire géographique officiellement délimitée. En Europe, plusieurs vins doivent être élaborés à partir d'un ou de cépages précis pour avoir droit à l'appellation.

Assemblage: Au sens large, mélange de vins faits à partir de différents cépages, styles ou terroirs. On assemble le plus souvent afin de favoriser un meilleur équilibre dans le produit fini, ou encore afin de reproduire année après année le même style de vin. On assemble aussi parfois des cépages, qu'on fait ensuite fermenter ensemble.

Botrytis ou (pourriture noble): Champignon qui s'attaque parfois aux baies de raisin, réduisant leur teneur en eau et concentrant du même coup les sucres de même que l'acidité. Les raisins botrytisés donnent naissance aux splendides et complexes vins liquoreux que sont, par exemple, les sauternes.

Bouchonné: Terme utilisé pour décrire un vin altéré par un bouchon contaminé. Un vin bouchonné sent le liège moisi, le carton mouillé.

Cépage: Variété de vigne; souvent synonyme de raisin, dans le jargon du vin.

Chêne: Les tonneaux de chêne confèrent des arômes de vanille et de pain grillé; souvent aussi, ils arrondissent le vin en bouche. Les copeaux de chêne mis à infuser dans la cuve ou même l'ajout d'essence de chêne, deux raccourcis plus économiques et qui font jaser, visent le même résultat.

Climat: Facteur décisif déterminant le style et la qualité d'un vin. Dans les régions fraîches, comme l'Allemagne, la Champagne et l'Oregon, les raisins mûrissent pour ainsi dire de justesse; ils donnent des vins plutôt réservés, mais souvent élégants. Dans les contrées plus chaudes, si la maturité de la vendange est toujours au rendez-vous, on doit en revanche souvent irriguer. Les vins de climat chaud, comme ceux du Chili par exemple, se distinguent par leur richesse sapide et alcoolique. En règle générale, les cépages à vin rouge ont besoin de plus de chaleur pour mûrir que les cépages blancs.

Cru: Terme désignant un vignoble précis. On y associe souvent une notion de hiérarchie allant de pair avec la qualité, tel que Premier cru, Grand Cru classé, etc.

Cuvée: Au sens propre, le contenu d'une cuve. Le terme fait également référence à un assemblage particulier de différents cépages ou de vins tirés de barriques sélectionnées. L'assemblage permet par exemple à un producteur d'embouteiller séparément ses chardonnays haut de gamme et ordinaires.

Domaine: Propriété viticole. Terme souvent appliqué aux exploitations de Bourgogne.

Fermentation: Transformation du sucre en alcool grâce à l'action des levures.

Fermentation à basse température: Fermentation longue et lente à basse température afin de préserver au maximum la fraîcheur et le fruité du vin. S'impose pour les vins blancs élaborés sous des climats chauds.

Fermentation en barrique: Vin ayant fermenté en tonneau de chêne. Comme pour le vieillissement en barrique, le procédé confère au vin certaines caractéristiques.

Fermentation malolactique: Processus naturel grâce auquel l'acide malique du vin se transforme en acide lactique, plus souple et moins agressif.

Millésime: Année de récolte d'une vendange. «Millésimé» se dit d'un vin issu de raisins récoltés durant l'année indiquée sur l'étiquette.

Mis en bouteilles au domaine: Vin élaboré et embouteillé par une seule propriété, bien qu'il puisse néanmoins provenir de plusieurs vignobles différents. Le terme italien équivalent est *azienda agricola* (ou *imbottigliato all'origine*). En allemand, on emploiera *Erzeugerabfüllung* ou *Gutsabfüllung*.

Négociant: Personne qui achète du vin ou des raisins de différents vignerons, puis qui élève, parfois assemble et embouteille le vin dans le but de le vendre sous sa propre étiquette.

Nouveau Monde: Les pays producteurs de vin situés en dehors de l'Europe défraient la manchette depuis les années 1970. Les États-Unis, l'Australie, la Nouvelle-Zélande, l'Amérique du Sud et l'Afrique du Sud font tous partie du Nouveau Monde. L'expression désigne aussi parfois un état d'esprit axé sur la nouvelle technologie et sur les possibilités qu'offre celle-ci de produire des vins plus fruités et plus rafraîchissants.

Œnologue: Spécialiste de la vinification et de l'élevage du vin.

Pourriture noble: Voir *Botrytis*.

Producteur: L'entreprise qui fait le vin et le critère devant guider le choix du consommateur. Dans une même région et pour un même millésime, un bon producteur élaborera toujours du meilleur vin qu'un mauvais producteur, sans pour autant que le vin ne coûte nécessairement plus cher à l'achat.

Rendement: Probablement le facteur le plus déterminant quant à la qualité ultime d'un vin. Moins on laisse chaque pied de vigne produire de raisins, plus le jus qu'on tirera de ceux-ci sera concentré. En fin de compte, le vin lui-même se distinguera par son intensité et sa profondeur.

Reserva (Espagne) et Riserva (Italie): Termes juridiquement définis désignant des vins ayant vieilli plus longtemps en barrique ou en bouteille (ou les deux) avant d'être commercialisés. De manière générale, la qualité du produit fini s'en trouve haussée. Par contre, ailleurs dans le monde, les mentions «Réserve» ou «Reserve» ne sont pas circonscrites et ne signifient donc pas que le vin en question est meilleur.

Sec: Se dit d'un vin dont le sucre n'est pas perceptible.

Sucre résiduel: Sucre toujours présent dans le vin après la fermentation. Si on le perçoit à la dégustation, le vin sera dit demi-sec, moelleux ou liquoreux, selon la quantité plus ou moins grande de sucre qu'il contient.

Tanin: La composante astringente et asséchante caractéristique des vins rouges, et qui ajoute de la profondeur à leurs saveurs. Souvent rêches en jeunesse, les tannins (qui aideront par ailleurs le vin à bien vieillir, s'ils sont de qualité) s'assouplissent avec le temps.

Terroir: Concept global en vertu duquel le vin représente l'expression de son lieu d'origine, plutôt que d'être simplement considéré comme étant le produit d'un climat et d'une variété de raisin.

Variétal: Plus usité en anglais, ce terme désigne le vin fait à partir d'un seul cépage et portant le nom de celui-ci: Merlot, Chardonnay, Zinfandel, etc.

Vendange tardive: Vin, d'ordinaire sucré, élaboré à partir de raisins surmûris cueillis plus tard en automne.

Vieilles vignes: Vignes d'âge avancé qui donnent des raisins plus concentrés. Bien que rien ne définisse précisément l'expression sur le plan juridique, celle-ci constitue un indicateur de qualité assez fiable.

Vieillissement en barrique: Le temps que passe le vin dans le bois, souvent des tonneaux de chêne contenant 225 litres et appelés *barriques*. Le chêne cède alors au vin certaines propriétés aromatiques et gustatives.

Vieux Monde/Vieux Pays: Les traditionnelles contrées vinicoles de l'Europe, d'où provient la majorité des grands styles de vin et des principales variétés de raisins. L'expression peut également désigner les techniques traditionnelles utilisées dans certains autres pays.

Vignoble individuel: Les vins à la personnalité marquée sont souvent faits à partir de raisins provenant d'un seul vignoble.

Vinificateur: Personne qui élabore le vin et qui contrôle le processus de vinification.

Vinification: Processus de transformation du raisin en vin.

Viticulture: Culture de la vigne; au sens large, gestion du vignoble.

Vitis vinifera: Espèce de vigne dont sont issues toutes les grandes variétés de raisin productrices de vin.

Index

CRÉDITS DES PHOTOS

Stephen Bartholomew: photographies de l'auteur 5, 26, 47, 49, 52-56, 66, 71, 72.
Cephas Picture Library: Kevin Argue 122-123; Andy Christodolo 135; Kevin Judd 29 en haut à droite, 43, 44, 45 à gauche; M J Kielty 91; Herbert Lehmann 29 en haut à gauche; R & K Muschenetz 25 en haut à gauche, 39, 120, 125, 126; Alain Proust 136; Mick Rock 6, 23, 25 en haut à droite, en bas à gauche, 26, 27, 28, 29 en bas, 33, 34, 36, 37, 38, 40, 45 à droite, 75, 77, 81, 84, 86-87, 89, 93, 95, 97, 99, 104-105, 106, 109, 110, 115, 117, 129, 131, 132; Roy Stedall-Humphreys 102; Ted Stefanski 31.
Robert Hall: 2-3, 7, 8-22, 46-47, 49 (tire-bouchons et bouchons), 50-51, 52 (verres), 54 (en médaillon), 57.
Stephen Marwood: photographie des bouteilles 35, 78, 95, 100, 115, 122, 132.
Robertson London: 66.
Spiral Cellars Ltd.: 65.
Zaika, London: 59.